United Nations
Educational, Scientific and
Cultural Organization

Organización
de las Naciones Unidas
para la Educación,
la Ciencia y la Cultura

In support of
World Heritage
Convention

En apoyo a
la Convención
del Patrimonio
Mundial

At a time when the global biodiversity and climate-change crises not only continue unabated but are in fact accelerating, World Heritage Sites represent an international standard that constantly reminds us of the wonder and uniqueness of our living planet and our duty to preserve it.

En este momento en el que las crisis de biodiversidad global y de cambio climático no sólo persisten sino que, de hecho, se están acelerando, los Sitios del Patrimonio Mundial representan un modelo internacional que nos recuerda, incesantemente, la maravilla y singularidad de nuestro planeta viviente y nuestra obligación de preservarlo.

EARTH'S LEGACY
Natural World Heritage
LEGADO de la TIERRA
Patrimonio Mundial Natural

CYRIL F. KORMOS

TIM BADMAN

RUSSELL A. MITTERMEIER

BASTIAN BERTZKY

SERIES EDITOR

CRISTINA MITTERMEIER

World Heritage Sites are transcendent places that move us to a new understanding of ourselves and our planet.

Los Sitios del Patrimonio Mundial son lugares trascendentales que nos llevan a un nuevo entendimiento de nosotros mismos y de nuestro planeta.

Mount Huangshan | Monte Huangshan
China
ART WOLFE/ARTWOLFE.COM

FOLLOWING PAGES/PÁGINAS SIGUIENTES (vi–vii)
Giraffa camelopardalis | Giraffe | Jirafa
Okavango Delta | Delta del Okavango
Botswana
BOBBY HAAS/NAT GEO CREATIVE

The world contains exceptional places. Places of beauty, places of wonder.

El mundo posee lugares excepcionales. Lugares de belleza, lugares de prodigio.

Golden Mountains of Altai | Montañas Doradas del Altai
Russian Federation | Federación de Rusia
IGOR SHPILENOK

The objective of the Convention is . . . to preserve Earth's natural and cultural legacy for all of humanity and forever.

El objetivo de la Convención es . . . preservar para siempre y para la humanidad toda, el legado cultural y natural de la Tierra.

Wadden Sea | El Mar de las Wadden
Netherlands | Países Bajos
JASPER DOEST

World Heritage Sites include the most spectacular land and seascapes on our planet, places whose beauty is so extraordinary, or whose features are so awe-inspiring that we respond instantly and viscerally.

Los Sitios del Patrimonio Mundial incluyen a los paisajes y territorios más espectaculares de nuestro planeta, lugares con una belleza tan extraordinaria, o con rasgos tan espléndidos, que nos hacen reaccionar de manera inmediata y visceral.

Yosemite National Park | Parque Nacional de Yosemite
United States of America | Estados Unidos de América
ART WOLFE/ARTWOLFE.COM

These are places of peace, illustrated through . . . the bonds of friendship and goodwill they weave between peoples across all borders.

Existen lugares de paz que se manifiestan a través de . . . los lazos de amistad y de buena voluntad que se tejen entre los pueblos y que atraviesan todas las fronteras.

Historic Sanctuary of Machu Picchu |
Santuario Histórico de Machu Picchu
Peru | Perú
CARR CLIFTON

FOLLOWING PAGE/PÁGINA SIGUIENTE (xvi)
Ovibos moschatus | Muskox | Muskox
Natural System of Wrangel Island Reserve |
Sistema Natural de la Reserva de la Isla de Wrangel
Russian Federation | Federación de Rusia
SERGEY GORSHKOV

Contents | Contenido

A Message from CEMEX | Un Mensaje de CEMEX

CEMEX is proud to introduce the third volume in our CEMEX Nature Series, *Earth's Legacy: Natural World Heritage*. This series builds on the more than two-decade tradition of our CEMEX Conservation Series, a splendid twenty-volume collection of books that confirms our commitment to the conservation of our planet's diverse natural resources.

We are pleased to present this book in collaboration with the United Nations Educational, Scientific and Cultural Organization (UNESCO), the International Union for the Conservation of Nature, Conservation International, and the Wild Foundation.

Through the World Heritage Convention, UNESCO promotes cooperation among all nations to protect the exceptional value of World Heritage sites for current and future generations. From the Galápagos Islands to the Okavango Delta, and from the Monarch Butterfly Biosphere Reserve to Yellowstone National Park, these unique sites are of great importance not only for a particular people, country, or continent, but for all of humankind.

Earth's Legacy: Natural World Heritage captures the spectacular diversity and beauty of these outstanding places on our planet. It provides a magnificent, comprehensive overview of these select sites' aesthetic, natural, and cultural value, coupled with their remarkable geodiversity, ecological processes, and biodiversity. It further highlights the sad reality that many of these irreplaceable sites are under enormous risk and require greater protection if we are to preserve our natural heritage for the future.

CEMEX is pleased and extremely proud to publish this compelling contribution to the conservation of some of the most iconic, protected areas on Earth.

CEMEX se enorgullece en presentar el tercer volumen de la Serie Naturaleza de CEMEX, *Legado de la Tierra: Patrimonio Mundial Natural.* Esta serie se edifica sobre la tradición editorial de más de veinte años que construimos con la Serie de Libros de Conservación de CEMEX. Estas colecciones de libros confirman nuestro compromiso con la conservación de los recursos naturales de nuestro planeta.

Nos complace presentar este libro en colaboración con la Organización de Las Naciones Unidas para la Educación, la Ciencia y la Cultura (UNESCO), la Unión Internacional para la Conservación de la Naturaleza, Conservation International y con la Fundación WILD.

La UNESCO, mediante la Convención del Patrimonio Mundial, promueve la cooperación entre las naciones para identificar y proteger nuestro patrimonio natural. Salvaguardar y garantizar la permanencia de lugares únicos y diversos como las Islas Galápagos, el Delta del Okavango, la Reserva de la Biósfera de la Mariposa Monarca o el Parque Nacional de Yellowstone, es importante, no sólo para un grupo de personas, o un país, o un continente, sino para toda la humanidad.

Legado de la Tierra: Patrimonio Mundial Natural comparte la diversidad y belleza de estos excepcionales lugares que existen en nuestro planeta. Nos brinda un vistazo a aquellos sitios de gran valor estético, natural y cultural, que aunados a sus extraordinarios entornos geológicos, a su biodiversidad y a sus procesos ecológicos, hacen de estos sitios un verdadero tesoro natural. El libro nos muestra cuáles son estos irreemplazables sitios que requieren protección y nos recuerda también la triste realidad acerca de los riesgos a los que están sujetos.

CEMEX está profundamente complacido en publicar este libro y poder contribuir a a la conservación y permanencia de algunos de los espacios más emblemáticos y fascinantes de la Tierra.

PRECEDING PAGE/PÁGINA ANTERIOR (xviii)
Danaus plexippus | Monarch butterfly | Mariposa monarca
Monarch Butterfly Biosphere Reserve |
Reserva de la Biosfera de la Mariposa Monarca
Mexico | México
JAIME ROJO

Canadian Rocky Mountain Parks |
Parques de las Montañas Rocosas Canadienses
Canada | Canadá
ART WOLFE/ARTWOLFE.COM

Foreword | Prólogo

The world contains exceptional places. Places of beauty, places of wonder. Many of these places are inscribed on the UNESCO World Heritage List to recognize their Outstanding Universal Value. This means that these places do not belong solely to one people or one country, but to humanity as a whole. They are universal, because of their power to inspire, to educate, and, above all, to move us, especially young people.

These are places of peace, illustrated through transboundary protected areas and the bonds of friendship and goodwill they weave between peoples across all borders. These are places also to strengthen human rights, recognizing the stewardship of indigenous peoples and communities that have maintained links to them over the millennia.

These sites honor the deep, inseparable bonds between nature and culture, and between cultural and biological diversity. World Heritage Sites are increasingly crucial for ensuring that wild ecosystems provide a foundation for sustainable development in the face of worsening climate change and biodiversity crises.

In all of these ways, World Heritage Sites embody fundamental values for all humanity—this is why we must safeguard them for generations to come. These places deserve to be properly managed and protected, and most of them are well managed, but a growing number continue to face serious threats, including from road-building, natural resource extraction, and other industrial activities, as well as from wildlife poaching.

El mundo posee lugares excepcionales. Lugares de belleza, lugares de prodigio. Muchos de éstos están inscritos en la Lista del Patrimonio Mundial de la UNESCO que reconoce su Valor Universal Excepcional. Esto significa que estos lugares no pertenecen solamente a un pueblo o a un país, sino a la humanidad entera. Son universales porque tienen el poder de inspirar y de educar, pero sobre todo tienen el poder de movernos, particularmente a la gente joven.

Estos son lugares de paz, y están representados por las áreas protegidas que atraviesan fronteras entretejiendo lazos de amistad y de buena voluntad entre vecinos. Son, también, sitios que fortalecen los derechos humanos pues reconocen el cuidado que las comunidades autóctonas han tenido para mantener sus vínculos con ellas durante milenios.

Estos sitios enaltecen los lazos profundos e inherentes que existen entre la cultura y la naturaleza; entre la diversidad cultural y la diversidad biológica. Los Sitios del Patrimonio Mundial son cada vez más determinantes para lograr que los ecosistemas silvestres provean la base para el desarrollo sustentable ante el agravamiento del cambio climático y la crisis de la biodiversidad.

Es por ello que los Sitios del Patrimonio Mundial simbolizan valores fundamentales para toda la humanidad, razón por la cual debemos salvaguardarlos para las generaciones venideras. Estos lugares merecen ser protegidos y administrados apropiadamente. Aunque muchos de ellos son bien gestionados, un número creciente enfrenta

Adopted in 1972 and ratified by virtually every country on the planet, the World Heritage Convention was crafted precisely to stem the erosion of humanity's natural and cultural heritage. Today, it is our duty to work together to ensure that the world's most outstanding places flourish in a sustainable manner for the benefit of future generations. We must redouble our efforts to safeguard humanity's irreplaceable heritage.

IRINA BOKOVA
Director-General, UNESCO

amenazas serias como la construcción de caminos, la extracción de sus recursos naturales, la caza furtiva de vida silvestre, así como otras actividades industriales.

La Convención del Patrimonio Mundial, adoptada en 1972 y ratificada prácticamente por todos los países del planeta, fue creada para contener el deterioro del legado natural y cultural de la humanidad. Hoy por hoy, es nuestra obligación trabajar juntos para garantizar que los lugares más extraordinarios del mundo prosperen de manera sustentable para el beneficio de las generaciones futuras. Debemos pues, redoblar nuestros esfuerzos para salvaguardar este legado irreemplazable de la humanidad.

IRINA BOKOVA
Directora General, UNESCO

Pyrénées – Mont Perdu | Pirineos – Monte Perdido
France | Francia
VERENA POPP HACKNER/WILD WONDERS OF EUROPE

Preface | Prefacio

Earth's Legacy: Natural World Heritage captures the spectacular diversity and beauty of our planet's natural heritage. The World Heritage Convention also emphasizes the vital linkages between nature conservation and a broad range of social and cultural benefits. This book will do much to increase awareness of the Convention's critical work.

The International Union for Conservation of Nature (IUCN) is proud to have played a central role in the creation of the World Heritage Convention in 1972. Since then, IUCN has continued to contribute to the Convention as its official Advisory Body on nature. In this capacity, IUCN provides the World Heritage Committee with objective, science-driven advice on sites whose natural heritage has earned them a place on the World Heritage List. IUCN evaluates sites nominated for World Heritage status and makes recommendations to the World Heritage Committee as to whether they should be inscribed on the List. It monitors the conservation state of existing World Heritage Sites and contributes to capacity-building for site management. IUCN also evaluates "mixed sites" nominated for both natural and cultural values.

As an Advisory Body within the Convention, IUCN is committed to bringing the highest standards of scientific analysis and protected-area management to the Convention's work. As a true union in every sense of the word, IUCN is well-suited to this global role, uniting civil society with a remarkably diverse set of members from around the world, including governments, their agencies, academic institutions, and non-governmental organizations, as well as thousands of experts working across IUCN's many commissions.

We must make World Heritage Sites a cornerstone for our global conservation work, and uphold them as places where the full range of biological, cultural, and social benefits can be maximized without compromising a site's unique values for future generations.

Legado de la Tierra: Patrimonio Mundial Natural captura la belleza y la grandiosa diversidad del patrimonio natural de nuestro planeta. La Convención del Patrimonio Mundial a su vez enfatiza los vínculos vitales entre la conservación de la naturaleza y los múltiples beneficios sociales y culturales que nos brinda. Este libro sin duda logrará mejorar la conciencia en torno al trascendental trabajo de la Convención.

La Unión Internacional para la Conservación de la Naturaleza (UICN) se enorgullece de haber jugado un rol central en la creación de la Convención del Patrimonio Mundial en 1972. Desde entonces, la UICN ha contribuido con la Convención como el Cuerpo Consultivo oficial en lo que refiere a la naturaleza. En esta capacidad, la UICN sirve al Comité del Patrimonio Mundial ofreciéndole asesoría objetiva y científicamente orientada sobre los sitios que se han ganado un lugar en la Lista del Patrimonio Mundial. Asimismo, la UICN evalúa los sitios nominados y emite sus recomendaciones al Comité del Patrimonio Mundial sobre sus méritos. Además, la UICN monitorea el estado de conservación que guardan los Sitios del Patrimonio Mundial y contribuye en la formación de competencias para su gestión, evaluando también a los "sitios mixtos" nominados por sus valores, tanto culturales como naturales.

Como Cuerpo Consultivo de la Convención, la UICN está comprometida a garantizar el trabajo del Comité con los más altos estándares de gestión y análisis científico de las áreas protegidas. Como una verdadera unión—en todo el sentido de la palabra—, la UICN es apta para tomar esta función global unificando a la sociedad civil con una diversidad significativa de miembros de todo el mundo, incluidos gobiernos, agencias, instituciones académicas y organizaciones no gubernamentales, así como miles de expertos que trabajan en múltiples comisiones. En la UICN estamos obligados a que los Sitios del Patrimonio Mundial sean la piedra angular de nuestro

This book is timely as it follows the 2014 launch of the first global assessment of natural World Heritage, the IUCN World Heritage Outlook. Previously, only half of the natural and mixed sites had been regularly monitored through the World Heritage Convention. Today, the IUCN World Heritage Outlook provides online Conservation Outlook Assessments for all listed sites with natural values, as well as a companion global report. The IUCN World Heritage Outlook indicates that two-thirds of sites are likely to be well conserved over time, but that the remaining third face management challenges, some of them severe, and that threats are worsening. *Earth's Legacy: Natural World Heritage* therefore serves as an important reminder for the international community to do more. Failure is not an option—we must ensure that all World Heritage Sites meet the Convention's highest standards.

INGER ANDERSEN
Director General, International Union for the Conservation of Nature

ZHANG XINSHENG
President, International Union for the Conservation of Nature

trabajo para la conservación mundial, y a sostenerlos como sitios en los que se maximice toda la gama de beneficios sociales, culturales y biológicos, sin poner en riesgo de perder sus valores únicos para las futuras generaciones.

Este libro aparece en un momento oportuno, pues prosigue al arranque, en 2014, de la primera evaluación global del patrimonio natural mundial denominada Perspectivas del Patrimonio Mundial de la UICN. Hasta ahora, sólo la mitad de los sitios mixtos habían sido monitoreados por la Convención del Patrimonio Mundial. Actualmente la Perspectiva del Patrimonio Mundial de la UICN ofrece en línea la valoración de todos los sitios enlistados que poseen valor natural, además de su anexo reporte global. Al respecto, la Perspectiva del Patrimonio Mundial nos dice que actualmente dos terceras partes de los sitios han sido bien conservados y la tercera parte restante enfrenta problemas de gestión, siendo algunos de ellos severos, mientras que en otros, las amenazas van en aumento. La publicación *Legado de la Tierra: Patrimonio Mundial Natural* constituye, entonces, un recordatorio importante a la comunidad internacional para hacer aún más. Fracasar no es una opción. Debemos asegurarnos que todos los Sitios del Patrimonio Mundial alcancen los más altos estándares.

INGER ANDERSEN
Directora General, Unión Internacional para la Conservación de la Naturaleza

ZHANG XINSHENG
Presidente, Unión Internacional para la Conservación de la Naturaleza

Sphyrna lewini
Scalloped hammerhead | Tiburón martillo
Cocos Island National Park |
Parque Nacional de la Isla del Coco
Costa Rica
DOUGLAS SEIFERT

1

The World Heritage Convention
La Convención del Patrimonio Mundial

World Heritage Sites include the most spectacular land and seascapes on our planet, places whose beauty is so extraordinary, or whose features are so awe-inspiring that we respond instantly and viscerally. They are special places, vibrant and full of energy, where the mystery and splendor of nature are powerful and we feel a profound connection to our planet. They are places that tell the story of our deep history—of geological evolution, of the astonishing diversity of life on Earth and of our human origins. And not coincidentally, World Heritage Sites are also often places where outstanding natural values go hand in hand with great cultural and spiritual significance: places where the connections between culture and nature run strong—are, in fact, inseparable, and have been inseparable for millennia. They are transcendent places that move us to a new understanding of ourselves and our planet and, as a result, are not important to just one people, or one country, or even a region, but are fundamentally important for all of humankind. They are places that we immediately recognize should be protected, and that we as citizens of the world have a duty to help protect, not just for each other, but also for future generations.

As part of the CEMEX Nature Series, this book focuses on natural World Heritage Sites as well as "mixed sites"—those sites that display both exceptional cultural and natural values, such as Papahānaumokuākea in Hawaii. Currently there are 197 natural World Heritage Sites and 31 mixed sites. They total about 279 million hectares and are comparable in size to Argentina, or about one and half times the size of Alaska. They represent roughly 8 percent of the global protected-area estate and include not only some of Earth's

Los Sitios del Patrimonio Mundial incluyen a los paisajes y territorios más espectaculares en nuestro planeta, lugares con una belleza tan extraordinaria, o con rasgos tan espléndidos, que nos hacen reaccionar de manera inmediata y visceral. Son lugares especiales, vibrantes y llenos de energía en los que el misterio y esplendor de la Naturaleza tienen el poder de hacernos sentir una profunda conexión con nuestro planeta. Son sitios que relatan nuestra historia insondable—de la evolución geológica, de la asombrosa diversidad de la vida en la Tierra y de nuestros orígenes como humanos. No es coincidencia que los Sitios del Patrimonio Mundial a menudo sean también aquellos lugares que con extraordinarios valores naturales están íntimamente ligados a un gran significado cultural y espiritual, sitios donde la cultura y la naturaleza tienen una fuerte conexión—de hecho son y han sido inseparables por milenios. Son lugares trascendentales que nos conducen a un nuevo entendimiento sobre nuestro planeta y sobre nosotros mismos. Por lo tanto, son sitios importantes no sólo para una persona, para un país o para una región, sino que son sitios de importancia fundamental para toda la humanidad. Son sitios que en seguida nos permiten comprender que deben ser preservados y que, como ciudadanos del mundo, tenemos la obligación de ayudar a protegerlos para cada uno de nosotros y para las generaciones venideras.

Como parte de la serie de Libros de Naturaleza de CEMEX, el presente volumen centra su atención en los Sitios del Patrimonio Mundial y en algunos "sitios mixtos"—aquellos que presentan valores excepcionales, tanto culturales como naturales, como es el caso de Papahānaumokuākea en Hawái. Actualmente existen 197

Gorilla beringei | Mountain gorilla | Gorila de montaña
Virunga National Park | Parque Nacional de Virunga
Democratic Republic of the Congo | República Democrática del Congo
ERIC BACCEGA

most biologically and geologically significant places, but also some of the most recognizable and iconic protected areas on the planet—the Grand Canyon, the Great Barrier Reef, Virunga, the Serengeti, Yosemite, Canaima, and Kamchatka—that have inspired generations and hopefully will continue to do so. We do not cover the 779 cultural sites in this book, though some of these do include important natural features.

The Convention concerning the Protection of the World Cultural and Natural Heritage, commonly known as the World Heritage Convention, is the international instrument that was developed to protect these special places. The Convention was signed at the United Nations Educational, Scientific and Cultural Organization (UNESCO) General Conference in 1972 and to date has been ratified by 191 countries, making it almost universally embraced. Established in response to growing international concerns that many of the most extraordinary cultural and natural sites around the world were being damaged or destroyed at dangerously high rates, the Convention seeks to help stem this decline by identifying, recognizing, and helping to protect the world's most extraordinary places. The objective of the Convention is therefore to preserve Earth's natural and cultural legacy for all of humanity and forever. These unique places are recognized by the Convention as World Heritage Sites.

The Convention's Operational Guidelines state that inscribed sites are places that have "Outstanding Universal Value," that is, places whose cultural and/or natural significance is "so exceptional as to transcend national boundaries and to be of common importance for present and future generations of all humanity." This concept lies at the heart of the Convention: A site proposed for World Heritage recognition must demonstrate Oustanding Universal Value, and must be able to maintain its Oustanding Universal Value in perpetuity.

Final judgment as to whether a site proposed by a national government meets the stringent criteria rests with the World Heritage Committee, commonly referred to as the Committee. This decision-making body of the Convention is made up of twenty-one countries or "States Parties," that serve on a rotating basis. Sites that meet the demanding standard for inclusion are inscribed on the World Heritage List, a highly coveted status.

Oustanding Universal Value is made up of three components. First is the value of the site in relation to the list of unique cultural or natural attributes as defined in the Operational Guidelines. The

Sitios naturales del Patrimonio Mundial y 31 sitios mixtos que suman alrededor de 279 millones de hectáreas; superficie comparable a la de Argentina o cerca de una y media veces el tamaño del estado de Alaska. Los sitios representan casi el 8 por ciento de las áreas protegidas del mundo, e incluyen no sólo algunos de los lugares más significativos desde el punto de vista biológico y geológico, sino también a algunas de las áreas protegidas más conocidas y a su vez emblemáticas del planeta—como El Gran Cañón, la Gran Barrera, Virunga, el Serengeti, Yosemite, Canaima y Kamchatka—, lugares que han inspirado a muchas generaciones y que esperamos así lo sigan haciendo en los años por venir. En la presente obra no cubrimos los 779 sitios culturales, aunque algunos de ellos tienen rasgos naturales de importancia.

La convención que se encarga de la protección del patrimonio cultural y natural del mundo, comúnmente conocida como la Convención del Patrimonio Mundial, es el instrumento internacional creado para brindar protección a estos lugares especiales. En 1972 La Convención fue firmada en la Conferencia General de la Organización de las Naciones Unidas Para la Educación, la Ciencia y la Cultura, siendo ratificada por 191 países y acogida casi universalmente. Creada como respuesta a las inquietudes a nivel internacional por los crecientes índices de destrucción y deterioro de muchos de los sitios naturales y culturales más extraordinarios en el mundo, la Convención busca contener esta tendencia mediante la identificación, el reconocimiento y la asistencia en la protección de los sitios más prodigiosos del mundo. El objetivo de la Convención es, por tanto, preservar para siempre y para la humanidad toda, el legado cultural y natural de la Tierra. Estos lugares únicos son reconocidos por la Convención como los Sitios del Patrimonio Mundial.

Las Directrices Operativas de la Convención establecen que los sitios inscritos son lugares que tienen un Valor Universal Excepcional, es decir, son lugares cuyo significado cultural y/o natural es "tan extraordinario que trasciende las fronteras nacionales y tienen relevancia común para las generaciones presentes y futuras de la humanidad". El concepto que descansa en el corazón de la Convención es el siguiente: Para que un sitio propuesto pueda ser reconocido como Patrimonio Mundial, éste tiene que demostrar su Valor Universal Excepcional además de estar en capacidad de conservar esta condición a perpetuidad.

Para que un sitio propuesto por un gobierno nacional sea tomado

criteria for natural sites state that they must be exceptional in terms of aesthetics, geological heritage, ecological processes, or biodiversity, or any combination thereof. These criteria are explored in further detail in this book.

The two additional requirements for a site to achieve Oustanding Universal Value are "integrity" and the good "protection and management" necessary to maintain a site's values in perpetuity. This reflects the fact that the Convention is at its heart (and in its full title) aimed at protecting World Heritage.

"Integrity" is described in the Operational Guidelines as "a measure of the wholeness and intactness of the natural and/or cultural heritage and its attributes." A site has integrity if it "includes all elements necessary to express its Outstanding Univeral Value," is "of adequate size to ensure the complete representation of the features and processes which convey the property's significance," and does not suffer "from adverse effects of development and/or neglect." The integrity requirement does not imply that natural sites must be completely intact, nor that human presence suggests a lack of integrity. However, it does indicate that industrial extractive activity and large-scale industrial infrastructure is inconsistent with maintaining Outstanding Universal Value, and that World Heritage Sites should be considered "no-go zones" for such activity.

Sites must also ensure good protection and management to ensure that Outstanding Universal Value is maintained in perpetuity. This means World Heritage Sites must have well-defined boundaries reflecting the requirements of habitats, species, processes, or phenomena that provide the basis for their inscription. Sites must also benefit from full legislative and regulatory protection, including enforcement of those laws, and must have adequate budgets. They should also be models of best-practice management, acting as flagship sites where the highest standards are applied, from rights-based approaches, to tourism management, to protection of biodiversity.

Only a finite number of natural sites around the world will be able to meet these standards. While there are still important sites to be added to the World Heritage List, and while advances in science will likely reveal new priorities for inscription over time, as discussed in chapters two to five, there are limits to the World Heritage List, and at some point in the coming decades it will need to be considered essentially complete.

The World Heritage Convention is now over four decades old, but,

en consideración, es necesario cumplir criterios muy rigurosos y el veredicto final descansa en el Comité del Patrimonio Mundial, comúnmente conocido como "el Comité". Este órgano ejecutivo de la Convención se compone de veintiún países o "Estados Miembros" que prestan su servicio de manera rotatoria. Aquellos sitios que cumplen con los exigentes requisitos para ser incluidos y ser inscritos en la Lista del Patrimonio Mundial, logran con ello una condición altamente codiciada.

El Valor Universal Excepcional tiene tres componentes. El primero se refiere al valor del sitio en relación a la lista de atributos culturales y naturales definidos en las Directrices Operativas. Los criterios establecen que deben ser lugares culturales o naturales excepcionales por su belleza, patrimonio geológico, procesos ecológicos, por su biodiversidad o por cualquier combinación de los anteriores. Estos criterios son tratados con mayor detalle en los capítulos siguientes.

Otros dos requisitos para que un sitio logre un Valor Universal Excepcional son su "integridad" y el buen "manejo y protección" necesarios para conservar a perpetuidad los valores del sitio. Esto refleja el hecho de que, en el fondo, la Convención busca proteger de manera integral el Patrimonio Mundial.

Las Directrices Operativas describen a la "integridad" como "el carácter unitario e intacto del patrimonio natural y/o cultural y sus atributos". Un sitio tiene integridad si "posee todos los elementos necesarios para expresar su Valor Universal Excepcional", "tiene un tamaño adecuado que permite la representación completa de las características y los procesos que transmiten la importancia del bien" y, no "sufre los efectos adversos del desarrollo y/o abandono". El requisito de integridad no implica que los sitios naturales deban estar completamente intactos, ni que la presencia humana sugiera una falta de integridad. Sin embargo, indica que la actividad industrial extractiva y la infraestructura industrial a gran escala son inconsistentes con el mantenimiento del Valor Universal Excepcional y que los Sitios del Patrimonio Mundial deben ser considerados como zonas inviables para estas actividades.

Los sitios también deberán asegurar la protección y manejo adecuados que garanticen la conservación a perpetuidad del Valor Universal Excepcional. Lo anterior significa que los Sitios del Patrimonio Mundial deben tener fronteras bien definidas que distingan las condiciones de los hábitats, especies, procesos o fenómenos objeto de su inscripción. Asimismo, deberán disfrutar plenamente de

Natural and Cultural Criteria for World Heritage Listing

Cultural Criteria

(i) represent a masterpiece of human creative genius;
(ii) exhibit an important interchange of human values, over a span of time or within a cultural area of the world, on developments in architecture or technology, monumental arts, town-planning, or landscape design;
(iii) bear a unique or at least exceptional testimony to a cultural tradition or to a civilization, which is living or which has disappeared;
(iv) be an outstanding example of a type of building, architectural or technological ensemble, or landscape, which illustrates (a) significant stage(s) in human history;
(v) be an outstanding example of a traditional human settlement, land-use, or sea-use, which is representative of a culture (or cultures), or human interaction with the environment, especially when it has become vulnerable under the impact of irreversible change;
(vi) be directly or tangibly associated with events or living traditions, with ideas, or with beliefs, with artistic and literary works of outstanding universal significance. (The Committee considers that this criterion should preferably be used in conjunction with other criteria.)

Natural Criteria

(vii) contain superlative natural phenomena or areas of exceptional natural beauty and aesthetic importance;
(viii) be outstanding examples representing major stages of Earth's history, including the record of life, significant ongoing geological processes in the development of landforms, or significant geomorphic or physiographic features;
(ix) be outstanding examples representing significant on-going ecological and biological processes in the evolution and development of terrestrial, fresh water, coastal, and marine ecosystems, and communities of plants and animals;
(x) contain the most important and significant natural habitats for in-situ conservation of biological diversity, including those containing threatened species of Outstanding Universal Value from the point of view of science or conservation.

Criterios Naturales y Culturales de la Lista del Patrimonio Mundial

Los Criterios Culturales

(i) representar una obra maestra del genio creativo del hombre;
(ii) ser la manifestación de un intercambio considerable de valores humanos durante un determinado periodo o en un área cultural específica, en el desarrollo de la arquitectura o de la tecnología, las artes monumentales, la planificación urbana, o el diseño paisajístico;
(iii) aportar un testimonio único o por lo menos excepcional de una tradición cultural o de una civilización que sigue viva o que desapareció;
(iv) ser un ejemplo sobresaliente de un tipo de construcción, de un conjunto arquitectónico o tecnológico, o de paisaje que ilustre una o más etapas significativas de la historia de la humanidad;
(v) constituir un ejemplo sobresaliente de hábitat o asentamiento humano tradicional o del uso de la tierra o del mar, que sea representativo de una o varias culturas o de interacción humana con el medioambiente, especialmente cuando se hayan vuelto vulnerables por los efectos de cambios irreversibles;
(vi) estar directa o tangiblemente asociados con acontecimientos o tradiciones vivas, con ideas o creencias, o con obras artísticas o literarias de significado universal excepcional (el Comité considera que este criterio sólo justifica la inscripción en la Lista en circunstancias excepcionales y en aplicación conjunta con otros criterios culturales o naturales).

Los Criterios Naturales

(vii) representar fenómenos naturales superlativos o constituir áreas de una belleza natural e importancia estética excepcionales;
(viii) ser ejemplos sobresalientes que representan los diferentes períodos de la historia de la Tierra, incluyendo el registro de la evolución, de los procesos geológicos significativos en curso en el desarrollo de las formas terrestres, o de elementos geomórficos o fisiográficos significativos;
(ix) ser ejemplos eminentemente representativos de procesos ecológicos y biológicos en curso en la evolución y el desarrollo de los ecosistemas y de las comunidades de vegetales y animales terrestres, acuáticos, costeros y marinos;
(x) contener los hábitats naturales más importantes y más representativos para la conservación in situ de la diversidad biológica, incluyendo aquellos que alberguen especies amenazadas que posean un valor universal excepcional desde el punto de vista de la ciencia o la conservación.

if anything, it is growing in relevance and strategic importance. This is not only because the Convention has proven an adaptable tool as conservation evolves, but also because threats to the world's natural heritage continue to escalate. As we look at the conservation challenges we face in the twenty-first century, the World Heritage Convention has a lead role to set the highest standards for global conservation.

A first important aspect of the Convention is that it has "teeth," that is, mechanisms that help ensure that high-management standards are maintained in World Heritage Sites and that they are protected from threats. This is essential to the credibility of the Convention, and also a critical dimension at a time when so many protected areas around the world face major challenges—from insufficient budgets to encroachment from industrial activities to downsizing, downgrading of legal protections, and outright degazettement. World Heritage Sites unfortunately are not immune from these challenges. Based on the results of its World Heritage Outlook assessment, the International Union for Conservation of Nature (IUCN) considers that about two-thirds of natural and mixed World Heritage Sites are well-protected, an encouraging finding, although one that also indicates that management could be improved in many sites and that much more needs to be done to support these sites in addressing existing challenges.

One way the Convention helps maintain the Outstanding Universal Value of its sites is by providing a clear management standard. Any activity that negatively impacts the values for which the site was inscribed is by definition inappropriate. Some activities, including, in particular, extractive industrial activities, are considered inappropriate by definition in World Heritage Sites. Thus, the World Heritage Convention provides a bright line—an unambiguous signal that the planet's most exceptional places should be free of degrading activities that impact their values.

A second important way the Convention protects World Heritage Sites is that it elevates the integrity and protection of sites inscribed on the List from a purely national concern to a shared international responsibility. For example, States Parties must periodically report the condition of their sites to the Committee, and IUCN, as the official Advisory Body to the Convention for natural sites, assists with these monitoring activities while also independently monitoring the state of World Heritage Sites. The Committee may request a State Party to take corrective actions to protect a site's Outstanding Universal Value based on monitoring reports; and should serious threats to

la protección jurídica y regulatoria, la observancia de la aplicación de estos ordenamientos y disponer de los presupuestos correspondientes. Deberán también ser modelos de gestión de mejores prácticas y ser sitios insignia en donde se apliquen los más altos estándares, enfoques basados en derechos, gestión del turismo y la protección de la biodiversidad.

Sólo un número finito de sitios naturales en el mundo pueden cumplir estos requisitos. A pesar de que todavía existen importantes sitios para ser añadidos a la Lista del Patrimonio Mundial y de que con el tiempo los avances científicos revelen nuevas prioridades para su inscripción—como se discute en los capítulos segundo y quinto—, existen límites a la Lista, y en algún momento en las próximas décadas tendrá que considerarse esencialmente como concluida.

Actualmente, la Convención del Patrimonio Mundial tiene más de cuatro décadas de existir y aún crece en relevancia estratégica, no sólo porque la Convención ha probado ser un instrumento flexible en vista a la evolución de la conservación, sino porque las amenazas al patrimonio natural siguen en aumento. Al encarar los retos para la conservación del Siglo XXI, la Convención del Patrimonio Mundial tiene un papel de liderazgo para establecer los estándares más altos para la preservación global.

Un primer aspecto importante es que la Convención tiene "dientes", es decir, cuenta con los mecanismos y elevados estándares de manejo para garantizar que los Sitios del Patrimonio Mundial estén protegidos ante las amenazas. Lo anterior es esencial para la credibilidad de la Convención, y es una dimensión importante al tiempo que tantas áreas protegidas alrededor del mundo enfrentan considerables desafíos—desde presupuestos insuficientes o franca intrusión de actividades industriales a los sitios, hasta la disminución del territorio, el deterioro de la normatividad o el absoluto desconocimiento de su condición jurídica. Por desgracia, los sitios del Patrimonio Mundial no son inmunes a estos peligros. Tomando como base los resultados del estudio La Perspectiva del Patrimonio Mundial, la Unión Internacional para la Conservación de la Naturaleza considera que dos terceras partes de los Sitios del Patrimonio Mundial natural y mixto se encuentran bien protegidos, un hallazgo alentador a pesar de que ello indique que la gestión pueda ser mejorada en muchos lugares, y de que se tienen que hacer esfuerzos mayores apoyando a esos sitios para que puedan hacer frente a los actuales desafíos.

Una manera en que la Convención apoya a los sitios para la

Outstanding Universal Value occur, the Committee may also place the site on the List of World Heritage in Danger, or in extreme cases may even remove a site from the World Heritage List. (See chapter six for more information on monitoring and the List of World Heritage in Danger.) Furthermore, once inscribed, a World Heritage Site's boundaries may not be modified without the Committee's approval. A site can only be removed from the List by the Committee after it is considered to have lost the Outstanding Universal Value for which it was originally inscribed. In the history of the Convention, this has only happened twice.

Inscribing a site on the World Heritage List substantially raises its profile. For example, the public and civil society are more likely to insist upon good management for iconic, world-renowned sites. The value of World Heritage as a brand can also be leveraged to generate additional financing for the site, such as research funding, or by attracting tourism. However, inscription also involves added costs, and unsustainable tourist visitation can lead to degradation of the site's natural values and social disruption. Much more can be done to promote visitation of World Heritage Sites, for example by encouraging tourists to develop "life-lists" of World Heritage Sites they have visited, while simultaneously ensuring that such tourism is not only sustainable but also benefits local communities as well as the conservation of the sites themselves.

A further strength of the World Heritage Convention is that it considers both cultural and natural values. The Convention not only recognizes mixed sites, which exhibit exceptional natural as well as cultural attributes, but also "cultural landscapes"—sites that reflect the interplay between cultural and natural values across a landscape, for example the Richtersveld Cultural and Botanical Landscape. The Convention is the only international instrument to address this culture-nature interplay explicitly, making it particularly valuable at a time when linkages between culture and nature are increasingly understood and valued around the world. This is one area where the Convention is being challenged to do much more to show leadership.

The Convention is also well adapted to landscape-scale planning, which is increasingly important given competing land uses around many World Heritage Sites. Buffer zones and "serial sites" are two mechanisms that facilitate landscape (or seascape) level planning and are discussed below. Buffer zones are not technically part of the site inscribed on the World Heritage List, and are not actually

conservación de su Valor Universal Excepcional es mediante la estipulación de claras pautas de manejo. Cualquier actividad que impacte negativamente los valores por los que un sitio ha sido inscrito es, por definición, inapropiada. Algunas actividades—particularmente las de la industria extractiva—son consideradas inapropiadas para los Sitios del Patrimonio Mundial y es así como la Convención aporta un objetivo claro—una señal inequívoca de que los lugares más excepcionales del planeta deben encontrarse libres de actividades que los degraden o vayan en menoscabo de sus valores.

Una segunda manera en que la Convención salvaguarda los Sitios del Patrimonio Mundial es elevando la integridad y protección de los sitios inscritos en la Lista de ser una preocupación a nivel nacional, hasta la responsabilidad internacional compartida. De esta manera, los Estados Miembros deben reportar periódicamente las condiciones de los sitios al Comité y a la UICN. Respecto de los sitios naturales, un Órgano Consultivo Oficial reporta a la Convención. La UICN asiste con el monitoreo de las actividades y da seguimiento al estado de los Sitios del Patrimonio Mundial de manera independiente. Es posible que el Comité solicite a un Estado Miembro que tome acciones correctivas para proteger el Valor Universal Excepcional de un sitio basándose en los reportes de monitoreo y, en el caso de que se presenten peligros serios al Valor Universalmente Excepcional, el Comité puede poner el sitio en la Lista del Patrimonio Mundial en Peligro, y en casos extremos incluso puede eliminar el sitio de la Lista (consultar el capítulo seis sobre monitoreo y la Lista de Patrimonio Mundial en Peligro). Más aún, una vez inscrito un lugar en la Lista, la frontera de un Sitio del Patrimonio Mundial no puede ser modificada sin la aprobación del Comité. Un sitio puede ser eliminado de la Lista solamente por el Comité, y cuando éste haya considerado que el sitio ha perdido el Valor Universalmente Excepcional por el que originalmente fuera inscrito. En la historia de la Convención, lo anterior sólo ha tenido lugar dos veces.

Un sitio que es inscrito en la Lista del Patrimonio Mundial eleva sustancialmente su perfil pues suele suceder que el público y la sociedad civil insistan en el buen manejo de los sitios emblemáticos. El valor del Patrimonio Mundial como marca puede apalancar financiamientos para los sitios, lo mismo que atraer fondos para la investigación o para mejoras económicas debido a su atractivo turístico. Sin embargo, la inscripción en la Lista puede acarrear costos insostenibles como la visita masiva de turistas, que puede traer trastornos sociales y deterioro de los valores naturales del lugar. En efecto, hay muchas cosas que se

required if the State Party can justify their absence. However, they are strongly encouraged, and large buffer zones are often added to World Heritage Sites to ensure integrity and protection, and to facilitate their integration into broader planning efforts, from connectivity to other protected areas, to development planning and sustainable use, to management of tourism and recreation.

Serial World Heritage Sites consist of two or more separate units that do not share a common boundary but are related. For example they may belong to the same geological formation or ecosystem and taken together meet the Outstanding Universal Value requirements, while if considered separately they might not. Serial sites allow for Outstanding Universal Value to be protected and managed across a number of areas in a broader landscape (or seascape), providing flexibility in site design and potentially making it possible to use World Heritage Sites in a connectivity conservation strategy. They also allow for "transboundary" World Heritage Sites where the component parts of the site are not adjoining across borders.

As with protected areas as a whole, which are established under a range of governance mechanisms, World Heritage Sites are also inscribed over a range of tenures, including indigenous territories, private lands, government lands, and combinations thereof. This not only provides great flexibility, it also ensures that an integrated management plan for the site will be developed across the various tenures and governance mechanisms, further contributing to landscape-level planning.

Another noteworthy aspect of the Convention is that independent scientific advice is built into its governance, ensuring that inputs from civil society are heard. As previously mentioned, IUCN serves as the official Advisory Body to the Convention for natural sites, and the International Council on Monuments and Sites (ICOMOS) serves as an Advisory Body for cultural sites. Non-governmental organizations also play a prominent role in implementation of the Convention at all levels, from preparing nominations to assisting with the management of individual sites.

Finally, the Convention's focus on preserving heritage creates an obvious and important opening for working with youth. The UNESCO World Heritage Centre has developed a range of youth programs, including training and opportunities for volunteer work. However, more could be done at national levels to help educate and inspire new generations about the importance of heritage.

pueden hacer para alentar la visita ordenada a los Sitios del Patrimonio Mundial, como por ejemplo, promover que los turistas desarrollen "listas de visitación" a una mayor cantidad de sitios, asegurando así que el turismo sea sustentable y que beneficie a la conservación de los sitios y a las comunidades locales.

Una valor adicional de la Convención del Patrimonio Mundial es que considera tanto valores culturales como naturales. Reconoce no sólo los sitios mixtos que presentan atributos naturales y culturales, sino que también considera a los "paisajes culturales"—sitios que reflejan la interacción entre los valores culturales y los naturales. Un ejemplo es el Paisaje cultural y botánico de Richtersveld. La Convención es la única instancia internacional que incluye esa interacción explícita entre naturaleza y cultura, ahora particularmente valiosa cuando las conexiones entre cultura y naturaleza están siendo mejor comprendidas y mejor valoradas en todo el mundo. Este es un espacio en el que la Convención se está poniendo a prueba al hacer lo necesario para mostrar su liderazgo.

La Convención también funciona bien en la planificación del paisaje a gran escala, lo que toma mayor importancia debido a la competencia por el uso del suelo en torno a los Sitios del Patrimonio Mundial. Las zonas de amortiguamiento y las "sitios seriados" son dos mecanismos que facilitan la planeación a nivel de paisaje (terrestre y marino). Éstos son discutidos más adelante en el libro. Técnicamente hablando, las zonas de amortiguamiento no forman parte de los sitios inscritos en la Lista, ni son un requisito si los Estados Miembros justifican su omisión. Sin embargo, estas zonas son altamente recomendadas y se han utilizado grandes zonas de amortiguamiento en los Sitios del Patrimonio Mundial para garantizar su protección e integridad y para facilitar su integración a una gestión territorial más amplia, desde su conectividad a otras áreas protegidas, hasta la planeación del crecimiento y uso sustentable, o incluso la gestión del turismo y las actividades recreativas.

Los Sitios Seriados del Patrimonio Mundial están definidos por dos o más lugares separados que no comparten una frontera común, pero que están relacionados entre sí. Pueden pertenecer a una misma formación geológica o al mismo ecosistema que al ser consideradas en conjunto, cumplen con los requisitos para constituir un Valor Universalmente Excepcional. No sucede así al ser considerados por separado. Los sitios seriados contribuyen a su protección y al manejo de paisajes más extensos (terrestres o marinos) por su flexibilidad

Without question the World Heritage Convention has been a powerful catalyst in protecting global heritage from threat. It has improved the conservation and management of exceptional places, built better capacity, and brought countries together around conservation objectives. In addition to the biodiversity, ecological processes, and geological heritage that have been protected, natural and mixed sites have also provided political, economic, subsistence, cultural, spiritual, and ecosystem benefits. The nomination of sites to the World Heritage List continues to generate improved governance, more participatory management, additional funding, better cooperation between states, and the cancellation of damaging projects.

The challenge going forward is to ensure that all World Heritage Sites remain free of degradation, continue to maintain their Outstanding Universal Value for the benefit of future generations, and set exemplary standards for the quality of their management. Protecting World Heritage Sites fully and effectively represents a litmus test for the entire conservation community. If we cannot protect the best of the best from degradation and destruction, then what will be the hope for the balance of the planet's protected-area estate? At a time when the global biodiversity and climate-change crises not only continue unabated but are in fact accelerating, World Heritage Sites represent an international standard that constantly reminds us of the wonder and uniqueness of our living planet and our duty to preserve it.

CYRIL F. KORMOS, RUSSELL A. MITTERMEIER, TIM BADMAN, BASTIAN BERTZKY, REMCO VAN MERM, LETÍCIA LEITÃO, GUY DEBONNET, NORA MITCHELL, ELENA OSIPOVA, and ERNESTO ENKERLIN

de diseño que hace potencialmente factible el uso de los Sitios del Patrimonio Mundial como una estrategia de conservación eslabonada. Los sitios seriados también permiten la formación de espacios transfronterizos protegidos, aún en lugares donde no exista una colindancia con la frontera común.

Respecto al conjunto de las áreas protegidas, las cuales están regidas por una amplia gama de mecanismos gubernamentales, los Sitios del Patrimonio Mundial están también suscritos a una diversidad de formas de tenencia de la tierra, incluyendo a territorios indígenas, propiedades privadas, propiedades estatales e incluso a alguna combinación de éstas. Lo anterior no sólo es motivo de gran flexibilidad, sino que permite el desarrollo de planes de gestión integrada con variantes de tenencia y normatividad que contribuye a la planeación a nivel de paisaje.

Otro aspecto a destacar sobre la Convención es que su instancia de dirección incorpora asesoramiento científico independiente, lo que le permite asegurar que las demandas de la sociedad civil sean atendidas. Como se mencionó anteriormente, la UICN funciona como una entidad consultiva oficial para la Convención en los casos de sitios naturales, y el Consejo Internacional de Monumentos y Sitios (ICOMOS, por sus siglas en inglés) sirve como cuerpo consultivo para los sitios culturales. Las organizaciones no-gubernamentales también juegan un papel preponderante en la implementación de la Convención en todos los niveles, desde la preparación de las nominaciones hasta la asistencia de la gestión de algunos sitios.

Finalmente, el énfasis que la Convención pone en la preservación del patrimonio ofrece una importante avenida para trabajar con la juventud. El Centro del Patrimonio Mundial de la UNESCO ha desarrollado una gama de programas que incluyen el entrenamiento y oportunidades de trabajo voluntario para las y los jóvenes. Sin embargo, hay aún mucho que se puede hacer a nivel nacional para apoyar la educación y estimular a las nuevas generaciones en torno a la importancia del patrimonio.

Sin lugar a dudas, la Convención del Patrimonio Mundial ha sido un potente catalizador para la protección del patrimonio global en riesgo. Ha propiciado la conservación y la gestión de sitios excepcionales; ha desarrollado mejores capacidades y ha reunido a los países en torno a la conservación. Además, ha logrado la protección de la biodiversidad, de los procesos ecológicos y del patrimonio geológico; ha propiciado la generación de beneficios políticos, económicos, culturales y

espirituales a los medios de subsistencia y a los ecosistemas. La nominación de sitios a la Lista del Patrimonio Mundial ha favorecido además una mejor gobernanza, una gestión más participativa y ha traído financiamiento adicional mejorado la cooperación entre países. También ha propiciado la cancelación de proyectos perjudiciales.

El reto ahora es garantizar que todos los Sitios del Patrimonio Mundial no se degraden y que conserven su Valor Universal Excepcional en beneficio de las futuras generaciones, estableciendo con esto estándares ejemplares de gestión. Lograr la protección plena y efectiva de los Sitios del Patrimonio Mundial es la piedra angular para toda la comunidad conservacionista. Si no podemos proteger de la degradación y de la destrucción a lo mejor de lo mejor de nuestro planeta, entonces, ¿qué esperanza queda para el equilibrio de los patrimonios en las áreas protegidas? En este momento en el que las crisis de biodiversidad global y de cambio climático no sólo persisten sino que de hecho se aceleran, los Sitios del Patrimonio Mundial representan un modelo internacional que incesantemente nos recuerda nuestra obligación de preservar la maravilla y singularidad de nuestro planeta viviente.

CYRIL F. KORMOS, RUSSELL A. MITTERMEIER, TIM BADMAN, BASTIAN BERTZKY, REMCO VAN MERM, LETÍCIA LEITÃO, GUY DEBONNET, NORA MITCHELL, ELENA OSIPOVA y ERNESTO ENKERLIN

2

Criterion (vii) | Criterio (vii)

Superlative natural phenomena and exceptional natural beauty

Fenómenos naturales superlativos y de belleza natural excepcional

Many people associate World Heritage with places that have a strong visual impact: places with spectacular natural features or great beauty or both, which are immediately recognizable as extraordinary. The Convention's criterion (vii) refers to areas that "contain superlative natural phenomena or areas of exceptional natural beauty and aesthetic importance" and is designed to capture these special, transcendent places.

Some of the most iconic sites on the World Heritage List have been inscribed under this criterion, for example the Great Barrier Reef in Australia, Victoria Falls in Zambia and Zimbabwe, Sagarmatha National Park in Nepal, Galápagos in Ecuador, and Ha Long Bay in Viet Nam. Perhaps less well known but equally important are such places as Tsingy de Bemaraha Strict Nature Reserve in Madagascar, Nanda Devi and Valley of Flowers National Parks in India, Wadi Rum in Jordan, and the Dolomites in Italy.

As the concepts of natural beauty and aesthetic value fall within the realm of social sciences, criterion (vii) is often considered distinct from the other three natural heritage criteria (see page 4), which are based wholly in natural sciences. However, criterion (vii) also refers to superlative natural phenomena—generally referring to impressive or dramatic expressions of natural features and natural processes that possess scientific and/or aesthetic values—thereby anchoring this criterion within the realm of natural heritage.

The concepts encapsulated within criterion (vii) have posed considerable challenges to its rigorous assessment. Yet, it is one of the most frequently used natural criteria, usually in combination with one

Muchas personas asocian el Patrimonio Mundial con lugares que brindan un fuerte impacto visual: Lugares con rasgos naturales espectaculares o de gran belleza—o ambos—que sobresalen inmediatamente. El Criterio (vii) de la Convención se refiere a áreas que deben "representar fenómenos naturales superlativos o áreas de belleza natural e importancia estética excepcionales", y se usa para denotar la particularidad y trascendencia de estos lugares.

Algunos de los sitios más emblemáticos de la Lista han sido incluidos usando este criterio, ejemplos de esto son la Gran Barrera de Australia; las Cataratas Victoria en Zambia y Zimbabwe, el Parque Nacional de Sagarmatha en Nepal, las Islas Galápagos en Ecuador y la Bahía de Ha Long en Viet Nam. Otros sitios menos conocidos, pero de igual importancia, son la Reserva Natural Integral de Tsingy de Bemaraha en Madagascar y los Parques Nacionales de Nanda Devi y el Valle de las Flores en India, la Zona Protegida del Uadi Rum en Jordania y los Dolomitas en Italia.

En tanto que los conceptos de belleza natural y valor estético caen en el ámbito de las ciencias sociales, el criterio (vii) a menudo es considerado distinto de los otros tres criterios del patrimonio natural (ver página 4) que están basados en las ciencias naturales. No obstante, el criterio (vii) también hace referencia a fenómenos naturales extraordinarios—los cuales aluden a expresiones sorprendentes de estructuras y de procesos naturales con valores científicos y/o estéticos—basándose, por lo tanto, en el terreno del patrimonio natural.

Los conceptos contenidos en el criterio (vii) han constituido un reto considerable, debido a la valoración tan rigurosa que requiere.

Wadi Rum Protected Area | Zona Protegida del Uadi Rum
Jordan | Jordania
IMAGEBROKER/FLPA

or more of the other natural and cultural criteria. Combinations with criterion (viii), which relates to Earth's history and geological processes, and criterion (x), associated with biodiversity and threatened species, are particularly common. On its own, however, this criterion has been applied only in the inscription of eight natural sites.

Criterion (vii) encompasses two distinct ideas: (1) superlative natural phenomena and (2) exceptional natural beauty and aesthetic importance. World Heritage Sites inscribed under this criterion can address one or the other of these ideas or both.

Superlative natural phenomena generally refer to impressive or dramatic expressions of natural features and natural processes, such as exceptional animal concentrations and migrations or hydrological and geological processes. While the assessment of natural phenomena can sometimes be based on measurable dimensions—such as the deepest canyon or the highest waterfall—it should not be misunderstood as a competition toward a "book of records." The use of measurable dimensions can support the application of criterion (vii), but should not be seen as the sole element in the overall assessment of values.

Natural beauty and aesthetic value generally describe responses to natural environments. While the aesthetic characteristics of sites are most frequently based on visual qualities, a wider range of sensory responses has been included, such as soundscapes. For example, on the west coast of Greenland, at Ilulissat Icefjord, the dramatic sounds of fast-moving, glacial ice calving into a fjord covered by icebergs produce a powerful effect. The site also includes experiential qualities related to wind, weather, and other atmospheric conditions that contribute to its character. At Mount Sanqingshan National Park in China, meteorological effects often create low-lying clouds amidst the fantastically shaped granite rock formations set within a diverse forest, producing a striking and ever-changing landscape of exceptional scenic quality.

There are many intellectual approaches to concepts of beauty and aesthetics of natural areas, making it critical to apply recognized methodologies to ensure a rigorous application of criterion (vii). A recent study of the aesthetic values of the Great Barrier Reef, for example, develops a systematic approach to identifying characteristics of the environment, as well as experiential qualities that evoke an aesthetic response. Conceptual mapping is used to illustrate key locations of aesthetic value and attributes in the World Heritage Site. As many methodologies are drawn from social sciences, it is important

Aun así, es uno de los criterios naturales más utilizados, con frecuencia en combinación con uno o más criterios naturales o culturales. Las combinaciones más comunes suelen ser con el criterio (viii) que relaciona los procesos geológicos e historia de la Tierra, así como con el criterio (x) que se asocia con la biodiversidad y con las especies en peligro. Por sí solo, este criterio ha sido aplicado únicamente para la inscripción de ocho lugares naturales.

El criterio (vii) comprende dos ideas distintas: (1) fenómenos naturales excepcionales y (2) belleza natural y estética de excepcional importancia. Los Sitios del Patrimonio Mundial suscritos bajo este criterio pueden referirse una o ambas ideas.

Los fenómenos naturales excepcionales se refieren generalmente a rasgos o procesos naturales imponentes o dramáticos, como las concentraciones o migraciones animales excepcionales, así como procesos geológicos o hidrológicos. Mientras que la evaluación de los fenómenos naturales a veces puede basarse en dimensiones mesurables—como el cañón más profundo o la caída de agua más alta—no debe confundirse con un concurso o un "registro de marcas". El uso de mediciones puede sustentar la aplicación del criterio (vii), pero no debe ser considerado como el único elemento para la valoración.

La belleza natural y el valor estético normalmente son una respuesta hacia el medio ambiente. Aunque las características estéticas de los sitios frecuentemente están basados en sus cualidades visuales, también se ha incluido un mayor rango de respuestas sensoriales, como son los entornos sonoros. Por ejemplo, en el Fiordo Helado de Ilulissat, en el litoral occidental de Groenlandia, el dramático sonido del hielo glacial que se mueve rápidamente rompiendo el fiordo cubierto por icebergs produce una impactante sensación. El sitio esconde cualidades vivenciales producidas por el viento, el clima y otras condiciones atmosféricas que contribuyen a imprimir su carácter. En el Parque Nacional del Monte Sanqingshan en China, los efectos meteorológicos a menudo producen nubes bajas ente las increíbles formaciones rocosas de granito, enmarcadas por el bosque pleno de diversidad biológica, produciendo un impresionante paisaje, siempre cambiante, de excepcional calidad escénica.

Existen tantas aproximaciones intelectuales a los conceptos de belleza y de estética de las áreas naturales, que se hace particularmente crítico el uso de metodologías reconocidas para la aplicación rigurosa del criterio (vii). Por ejemplo, un estudio reciente de los valores estéticos de la Gran Barrera arrecifal, utiliza aproximaciones sistemáticas para

to involve experts knowledgeable and experienced with quantitative and qualitative assessments of aesthetic values in preparing World Heritage nominations.

Sites around the world inscribed with criterion (vii) vary greatly. Superlative natural phenomena often include striking natural features or combinations of features. For example, Sagarmatha, dominated by Mount Everest, and Kilimanjaro are considered superlative natural phenomena based principally on the first being the highest point on Earth and the second, the highest mountain in Africa and the highest freestanding mountain in the world. Likewise, Lake Baikal in Russia is one of the world's major lakes in terms of size and volume. Generally, wording has been cautious, indicating that a site contains "one of the largest, highest, deepest" examples of a particular natural phenomenon, and rarely has any individual feature representing the highest or largest on Earth been singled out to justify the inscription.

Superlative natural phenomena have also often been associated with natural processes such as animal concentrations and migrations, or other biological and geological processes that possess scientific and/or aesthetic values. Examples of exceptional animal concentrations and migrations include the Kenya Lake System, with the extremely large numbers of lesser flamingos, and Gunung Mulu National Park in Malaysia, inscribed for the concentration of millions of bats and swiftlets, among other reasons. The Monarch Butterfly Biosphere Reserve in Mexico, inscribed under criterion (vii) alone, is probably one of the most striking examples of animal concentrations. Every autumn, millions of butterflies from wide areas of North America return to this particular site and cluster on small areas of the forest reserve, coloring its trees orange and literally bending their branches under their collective weight.

Remarkable geological processes have also been recognized under criterion (vii), such as Chad's Lakes of Ounianga, where the complex underwater hydrological system is yet to be fully understood. In iSimangaliso Wetland Park in South Africa, multiple natural phenomena were judged to be outstanding. One of these conditions involves shifting salinity states from low to hypersaline wet and dry climatic cycles. Other striking phenomena relate to the spectacle of large numbers of nesting turtles, the aggregations of flamingos and other waterfowl, the breeding colonies of pelicans, storks, herons, and terns, the abundance of dolphins, and the migration of whales and whale sharks off-shore.

identificar aquellas cualidades ambientales y vivenciales distintivas que evocan una determinada respuesta estética. Para los Sitios del Patrimonio Mundial se utilizan mapas conceptuales que permitan identificar localidades clave con atributos y con valor estético. Debido a que muchas metodologías se derivan de las ciencias sociales, también es importante involucrar a expertos conocedores y experimentados en evaluaciones cuantitativas y cualitativas sobre los valores estéticos durante el desarrollo de las nominaciones para el Patrimonio Mundial.

Los sitios inscritos utilizando este criterio suelen ser muy variados. Los fenómenos naturales excepcionales son, a menudo, uno o más rasgos naturales notables. Un ejemplo es el Parque Nacional de Sagarmatha, dominado por el Monte Everest y el Kilimanjaro, siendo el primero considerado la cima más alta de la Tierra y el segundo, la montaña más alta de África y la formación aislada más alta del mundo. Otro ejemplo es el Lago Baikal en Rusia que es uno de los lagos más grandes en cuanto a extensión y volumen. En general, la forma de expresar lo anterior ha sido muy cuidadosa, indicando siempre que los sitios contienen "uno de los más grandes, más altos, o más profundos" ejemplos de un fenómeno natural en particular, y raramente si no es que nunca, se ha usado un rasgo de altura o tamaño en la Tierra por sí mismo como la justificación para su inscripción.

Los fenómenos naturales excepcionales preeminentes han sido asociados con frecuencia a procesos naturales como las concentraciones de animales y migraciones, así como a otros procesos biológicos o geológicos que presentan valores científicos y/o estéticos. Ejemplos de estos incluyen el Sistema de Lagos de Kenya en donde vive un asombroso número de flamencos enanos; o el Parque Nacional de Gunung Mulu en Malasia que fue inscrito debido, entre otras cosas, a la existencia de prodigiosas concentraciones de millones de murciélagos y de salanganas nidoblanco. En México la Reserva de la Biosfera de la Mariposa Monarca fue inscrita valiéndose únicamente de este criterio (vii), siendo, probablemente, uno de los ejemplos más impresionantes de concentraciones animales. Cada otoño, varios millones de mariposas provenientes de amplias zonas de Norteamérica regresan a algunas áreas de la reserva forestal de ese sitio particular, en donde tiñen los árboles con el color naranja de sus alas y literalmente doblan sus ramas con su gran peso colectivo.

También se han reconocido notables procesos geológicos utilizando el criterio (vii), tal es el caso del Lagos de Unianga del Chad en donde se presenta un complejo sistema hidrológico subacuático que aún no se

Sites inscribed for their exceptional natural beauty and aesthetic importance are often found in mountainous and coastal areas. The aesthetic characteristics of these sites tend to be visual, but other sensory experiences have also been included. In recent years, there has been more emphasis on the simultaneous presence of various natural features contributing to the aesthetic value, as illustrated in the examples of the Pitons, Cirques and Remparts of Reunion Island, where the combination of volcanism, tectonic landslide events, heavy rainfall, and stream erosion have formed a rugged and dramatic landscape of striking beauty; or, the Putorana Plateau in the Russian Federation, which includes an extensive area of layered basalt traps that has been dissected by dozens of deep canyons and countless cold water rivers and creeks, with thousands of waterfalls and more than 25,000 lakes. Other combinations of natural features have also demonstrated outstanding aesthetic values because of their high numbers and density, especially in relatively limited areas, such as the Rock Islands Southern Lagoon in Palau, with its fifty-two marine lakes.

Criterion (vii) has been used for 138 (61 percent) of the 228 natural and mixed sites on the World Heritage List. Out of a total of 31 mixed sites, 24 include criterion (vii). Criterion (vii) has also been used most frequently (in 75 sites) in conjunction with criterion (x) followed by criterion (ix) (64 sites) and criterion (viii) (60 sites). However, when considering specific combinations, the most common are: criteria (vii) and (viii) with a total of 24 sites; criteria (vii) and (x) with 21 sites; whereas the combination of criteria (vii) and (ix) is much less frequent with only 12 sites.

Eight sites are inscribed solely under criterion (vii): the three Scenic and Historic Interest Areas of Huanglong, Jiuzhaigou Valley, and Wulingyuan, all in China; Mount Sanqingshan National Park, also in China; Mount Kilimanjaro in Tanzania; the Monarch Butterfly Biosphere Reserve in Mexico; and the Lakes of Ounianga in Chad. Over time the use of criterion (vii) within inscriptions has decreased, partly because it strongly relates to the iconic sites of early focus to the Convention. Between 1978 and 1994, the average number of sites inscribed under criterion (vii) was five, whereas between 1995 and 2014 it had decreased to three.

Even though half of the sites included only under criterion (vii) are located in China, there is no evidence that this criterion has been used more frequently in certain regions than others. The use of criterion (vii) per region, in relation to the total number of natural and mixed

comprende del todo. En Sudáfrica, está el caso del Parque del Humedal de iSimangaliso en donde tienen lugar condiciones naturales extremas que han sido considerados como excepcionales por las condiciones que van de la baja salinidad a la hipersalinidad durante los ciclos de aguas y de secas. Otros fenómenos son el anidamiento de grandes cantidades de tortugas o las congregaciones de flamencos y otras aves acuáticas, como las colonias de apareamiento de pelícanos, cigüeñas, garzas y charranes, las congregaciones de delfines y las migraciones de la ballena y de tiburones ballena, siendo todos ellos fenómenos verdaderamente portentosos.

En las zonas montañosas y en los litorales se pueden encontrar sitios inscritos por su belleza natural excepcional e importancia estética. Prevalecen sitios cuyas características estéticas tienden a ser visuales, aunque también han sido incluidas otras experiencias sensoriales. En años recientes se ha puesto un mayor énfasis en la presencia simultánea de rasgos naturales con valor estético, como está ejemplificado por los Pitones, Circos y Escarpaduras de la Isla de la Reunión, donde la concurrencia de vulcanismo, los deslizamientos tectónicos, las lluvias torrenciales y la erosión causada por las escorrentías, han formado un dramático paisaje escarpado de excepcional belleza; o el caso de la Meseta de Putorana en la Federación de Rusia, que comprende una extensa área de trampas basálticas superpuestas cortadas por decenas de profundos cañones e incontables ríos y arroyos de gélidas aguas con miles de cascadas y más de 25,000 lagos. Otros paisajes han demostrado tener un valor estético excepcional por la frecuencia y densidad de cierta combinación de rasgos naturales en áreas particularmente limitadas, como es el caso de la Laguna Meridional de las Islas Rocosas, en Palau, con sus cincuenta y dos lagunas marinas.

El criterio (vii) ha sido utilizado en 138 (61 por ciento) de los 228 sitios naturales y sitios mixtos de la Lista del Patrimonio Mundial. Del total de 31 sitios mixtos, 24 invocaron el criterio (vii). Este criterio ha sido el más invocado en combinación con el criterio (x) (en 75 ocasiones), seguido por su combinación con el criterio (ix) (en 64 sitios) y con el criterio (viii) en 60 sitios. Sin embargo, cuando se consideran combinaciones específicas del criterio (vii), las más comunes suelen ser: con el criterio (viii) con un total de 24 sitios; con el criterio (x) en 21 sitios. Mientras que la combinación del criterio (vii) con el (ix) es mucho menos frecuente, con sólo 12 sitios.

Solo ocho sitios se han inscrito utilizando exclusivamente el criterio (vii): las tres Áreas de Interés Histórico y Paisajístico de Huanglong,

sites included on the World Heritage List, follows the same trends as the overall percentage of sites inscribed per region.

There is knowledge and experience available to strengthen the application of criterion (vii). In particular, there are established methodologies from social science and related fields for assessing aesthetic qualities of landscapes that can be used to systematically identify, describe, and document attributes that convey aesthetic value. Involving professionals with recognized expertise in fields related to aesthetics of natural environments as part of the World Heritage nomination process not only integrates knowledge and methods of determining aesthetic value, but also contributes to a more systematic, rigorous, and transparent application of criterion (vii).

While many assessment methods are expert-based, there is an increasing interest and recognition of the importance of incorporating public or stakeholder perspectives and knowledge into the process through methods from social science and related fields. Community perceptions can be combined with expert assessments to enhance the understanding of aesthetic values and inform selection of attributes. Participation of local communities, indigenous peoples, and other stakeholders is already encouraged, but is especially important in relation to aesthetic assessments. This is also important because community engagement builds awareness; it creates greater shared understanding of aesthetic values and enhances commitment to long-term conservation, management, and monitoring.

LETÍCIA LEITÃO and NORA MITCHELL

el Valle Jiuzhaigou y Wulingyuan, todos en China; el Parque Nacional del Kilimanjaro en Tanzania; la Reserva de la Biósfera de la Mariposa Monarca en México y los Lagos de Unianga del Chad. El uso del criterio (vii) para la inscripción ha ido en decremento con el tiempo, en parte porque el criterio se asocia a los sitios emblemáticos de interés en las postrimerías de la Convención. Entre 1978 y 1994, se inscribieron un promedio de cinco sitios por año invocando al criterio (vii), mientras que entre 1995 y 2014 sólo se han inscrito 3.

A pesar de que la mitad de los sitios inscritos invocando al criterio (vii) están localizados en China, no hay evidencia de que este criterio haya sido utilizado con mayor frecuencia en algunas regiones. El uso del criterio (vii) por región en relación al número total de sitios naturales y mixtos incluidos en la Lista del Patrimonio Mundial sigue la misma tendencia que el resto de las regiones.

Se dispone del conocimiento y de la experiencia que fortalece la utilización del criterio (vii). Al respecto, se han consolidado metodologías de las ciencias sociales y de campos afines de conocimiento para evaluar las cualidades estéticas del paisaje que pueden ser aplicadas de manera sistemática para identificar, describir y documentar los atributos que transmiten los valores estéticos. En el proceso de nominación del Patrimonio Mundial se involucran profesionales expertos en campos relacionados con la estética del entorno natural, contribuyendo a la aplicación más sistemática, rigurosa y transparente del criterio (vii).

Mientras que muchos métodos de evaluación están basados en asesorías expertas, existe cada vez un mayor interés en incorporar el conocimiento y la perspectiva del público y de las partes interesadas en el proceso de selección, utilizando métodos de las ciencias sociales y de campos afines. Las percepciones de la comunidad pueden combinarse con las evaluaciones de los expertos para así mejorar el entendimiento de los valores estéticos para la selección de los atributos. Ya se está promoviendo la participación de las comunidades locales, de las nativas y de otras partes interesadas, y es particularmente importante en relación a las evaluaciones estéticas. Esto reviste gran relevancia pues el involucramiento de la comunidad acrecienta su participación consciente, genera una mayor comprensión colectiva de los valores estéticos e impulsa el compromiso de largo plazo con la gestión, el monitoreo y con la conservación.

LETÍCIA LEITÃO y NORA MITCHELL

3

Criterion (viii) | Criterio (viii)

Earth's history, geology, and geomorphology

Historia de la Tierra, geología y geomorfología

The World Heritage Convention took a farsighted view at its founding in 1972 by deciding to recognize not only spectacular natural landscapes, and our most significant habitats and species, but also our planet's rich geological history and the physical processes that shape our world. Conservation of geodiversity, as a complementary concept to biodiversity, is a growing but recent part of the conservation movement's work, seen most prominently in a new Global Geoparks initiative. Despite new advances, the Convention recognized geology as a fundamental part of the planet's heritage more than forty years ago. As a result, it provides protection to some of our most significant geological sites, as well as a means for better understanding of the rocks, fossils, processes, and landforms that testify to the long history of how Earth was formed and has evolved.

Criterion (viii) recognizes geodiversity within the World Heritage List and involves four distinct, although closely linked, elements related to geological and geomorphological science. First is Earth's history. This subset of geological features includes phenomena that record important events in the past development of the planet, such as crustal dynamics, the genesis and development of mountains, plate movements, continental movement, rift valley development, meteorite impacts, and changing climate in the geological past. Sites that may be considered for inscription on the World Heritage List under this category would primarily involve places where outstanding discoveries have been made that have led to our overall understanding of Earth processes and forms as revealed by rock sequences or associations, rather than fossil assemblages.

En su fundación en 1972, la Convención del Patrimonio Mundial tuvo la visión de reconocer no sólo los paisajes naturales espectaculares y las especies o hábitats más significativos, sino que incluyó también a la rica historia geológica de nuestro mundo y los procesos físicos que lo moldean. La conservación de la geodiversidad como concepto complementario de la biodiversidad, es un área de trabajo nueva en el movimiento conservacionista que ahora emerge con mayor notoriedad en la nueva iniciativa de la Red Global de Geoparques. En realidad, la Convención ha reconocido a la geología como parte fundamental del patrimonio del planeta por más de cuarenta años. Como consecuencia de ello se ha promovido la protección a nuestros sitios geológicos más significativos, lo mismo que como un vehículo para la mejor comprensión de las rocas, fósiles, el relieve y los procesos geológicos que atestiguan la larga historia de la formación y evolución de la Tierra.

El criterio (viii) reconoce la geo-diversidad dentro de la Lista del Patrimonio Mundial e involucra cuatro elementos distintos relacionados con la geología y la geomorfología. En principio, se trata de la historia de la Tierra. Este subgrupo de rasgos geológicos considera fenómenos que registran eventos importantes del devenir histórico del planeta incluyendo la tectónica, el génesis y desarrollo del relieve montañoso, la deriva continental, la formación de las fosas tectónicas, los impactos de meteoritos, el cambio climático y la historia geológica. Los sitios que fuesen considerados para su inscripción en el Patrimonio Mundial utilizando esta categoría, deberán incluir, esencialmente, a sitios donde se hayan hecho descubrimientos excepcionales y que conduzcan a una

Great Barrier Reef | La Gran Barrera
Australia
DAVID DOUBILET

Second in the list is our record of life. This category includes palaeontological (fossil) sites that provide the direct evidence of past life on Earth, how it has evolved (and gone extinct), and the nature and functioning of past ecosystems. Next comes the significant, ongoing geological processes in the development of landforms. Geomorphological sites record current geological processes and their relationship to landforms and landscapes (or physiography). This subset of criterion (viii) features active geomorphological processes such as those associated with glaciers, mountains, deserts, active volcanoes, rivers, deltas, islands, and coasts.

Significant geomorphic or physiographic features are last of the four elements. This category includes landforms that are the products of active processes and is intimately linked to consideration of those processes listed above. This group also includes features resulting from earlier or long-standing periods of activity, such as relict glacial landforms, extinct volcanic systems, and karst features. These features may also be considered in relation to the application of criterion (vii), in view of the aesthetic quality of certain spectacular landforms.

As of January 2015, eighty-eight sites are currently listed as World Heritage under criterion (viii), including such famous names as Ha Long Bay (Viet Nam), the Grand Canyon (United States), and the Great Barrier Reef (Australia). The diversity of sites also includes lesser-known superlative sites, such as the United States' Mammoth Cave, the world's longest cave system, or exceptional volcanoes like the Russian Federation's Kamchatka, and the most emblematic fossil sites on the planet, including Canada's Burgess Shale, Germany's Messel, and Egypt's Wadi Al-Hitan, which testify to how life has evolved on Earth.

Today's criterion (viii) has grown out of two of the original natural World Heritage criteria: criterion (i), which always covered "outstanding examples representing the major stages of the Earth's evolutionary history," and the geological process element of criterion (ii) that was added in 1994 (chapter four provides more details on the changes to this criterion). At that time, the current wording of criterion (viii), then still known as criterion (i), was adopted, with the four distinct natural elements explained above, as well as the distinction from the biological process criterion (ix). In 2006, the World Heritage Committee undertook a detailed review of the sites listed under "old" criterion (ii), in order to adjust the listings to the current set of criteria. This updating ensured that the correct current criteria were applied

mayor comprensión de los procesos y las formaciones geológicas que se evidencian por las secuencias o asociaciones rocosas, más que por los ensamblajes de yacimientos fosilíferos.

Como segundo en la lista está nuestro historial de vida. Esta categoría incluye a los sitios paleontológicos (fósiles) que proporcionan evidencias directas de vida anterior en la Tierra, de cómo ha sido la evolución (o extinción), así como de la naturaleza y el funcionamiento de los ecosistemas pasados. Como siguiente elemento están los procesos geológicos relevantes para el desarrollo de las formaciones geológicas. Los sitios geomorfológicos registran los actuales procesos geológicos que están dando forma al relieve y a los paisajes (o fisiografía). El criterio (viii) conjuga los rasgos activos de los procesos geomorfológicos tales como los asociados a los glaciares, las montañas, los desiertos, los volcanes activos, los ríos, los deltas, las islas y las costas.

El último de los cuatro elementos lo constituyen los atributos geomorfológicos o fisiográficos. Esta categoría incluye al relieve, que es el producto de los procesos activos que están directamente ligados a los procesos mencionados arriba. Este grupo incluye también a los rasgos producto de periodos de actividad previos, como lo son los vestigios dejados por los glaciares, por los sistemas volcánicos extintos y por los paisajes kársticos. Estos rasgos también deben ser considerados en relación a la aplicación del criterio (vii), habida cuenta de las particularidades estéticas de algunas formaciones geológicas espectaculares.

Hasta enero del 2015, estaban enlistados ochenta y ocho sitios como Patrimonio Mundial bajo el criterio (viii), incluyendo a lugares famosos como la Bahía de Ha Long (Viet Nam), el Gran Cañón (Estados Unidos) y la Gran Barrera (Australia). La variedad de sitios también incluye a sitios excepcionales menos conocidos como Mammoth Cave (Estados Unidos), que es el sistema de cavernas más grande del mundo, o a volcanes excepcionales como los Volcanes de Kamchatka de la Federación de Rusia y a los sitios fósiles más emblemáticos del planeta, como el Esquisto de Burgess (Canadá), Messel (Alemania) y el Uadi Al Hitan (Egipto). Todas éstas son evidencias de cómo la vida ha evolucionado en la Tierra.

El actual criterio (viii) surgió de dos criterios originales del Patrimonio Mundial: el criterio (i), que siempre se hizo cargo de los "extraordinarios ejemplos que representan los estadios más representativos de la historia evolutiva de la Tierra"; así como

consistently to all of the geological World Heritage Sites—all of the sites listed under criterion (viii) are those that the World Heritage Committee has regarded as being of Outstanding Universal Value for their geology and/or geomorphology.

The International Union for Conservation of Nature (IUCN) has evaluated sites nominated under criterion (viii) throughout the history of the Convention, and undertakes this work in long-standing partnerships with several organizations that focus on geological sciences, including the International Union of Geological Sciences (IUGS) and the International Association of Geomorphologists (IAG). When nominations are made under criterion (viii), IUCN seeks reviews from experts nominated by both IUGS and IAG, in order to help ensure that claims for global significance are tested and verified. In addition, IUCN collaborates with the Earth Sciences Division of UNESCO, notably in supporting the work of the new Global Geoparks initiative, which provides a viable alternative strategy for international recognition of significant geological landscapes, which are of international importance but not might not reach the highly selective level of Outstanding Universal Value.

One particularly challenging aspect of criterion (viii) is that its assessment framework is global and not regional, for it reflects both the global distribution of comparable geomorphological features and the worldwide perspective required to encompass the representation of the 4.6 billion years of Earth history, including the evolution of life and the planet's geography. Over those timescales the planet has seen drastic changes, such as the evolution of life punctuated by a series of mass extinctions to the changing pattern of continents.

Evaluation also considers natural sites where the values are of universal appeal to human understanding of Earth history and geological processes, in order to avoid a World Heritage List of very narrow values and highly specialized features recognized only by scientists. The Convention's Operational Guidelines also include particular requirements for integrity in relation to geodiversity of World Heritage Sites, notably emphasizing that these sites should include all of the elements of the globally important process, landform, or feature in their natural relationships. Perhaps for these reasons, criterion (viii) is the least used, or the most selective, of all of the natural World Heritage criteria.

In order to assist the consistent application of criterion (viii), IUCN has adopted a framework of thirteen themes addressed to

el criterio (ii), el cual fue incorporado en 1994 y que retoma los procesos geológicos (el capítulo cuatro aporta más detalles sobre las modificaciones a este criterio). En aquel momento se adoptó el parafraseo del criterio (viii)—conocido entonces como criterio (i)—, que conjugaba las cuatro diferenciaciones arriba mencionadas, así como distinguía el proceso biológico respecto del criterio (ix). En 2006, el Comité del Patrimonio Mundial emprendió una revisión detallada de los sitios listados bajo el "antiguo" criterio (ii) con el objeto de ajustar los listados al actual conjunto de criterios. Esta actualización garantizó la aplicación de los criterios correctos de manera consistente para todos los Sitios geológicos del Patrimonio Mundial -todos los sitios enlistados bajo el criterio (viii) corresponden a aquellos que el Comité del Patrimonio Mundial ha contemplado como Valor Excepcional Universal por su geología y/o su geomorfología.

Durante toda la historia de la Convención, la Unión Internacional para la Conservación de la Naturaleza ha evaluado los sitios nominados bajo el criterio (viii) y ha llevado a cabo este trabajo siempre en colaboración con diversas organizaciones especializadas en ciencias geológicas, incluyendo a la Unión Internacional de Ciencias Geológicas (IUGS por sus siglas en inglés) y a la Asociación Internacional de Geomorfólogos (AIG). Al llevarse a cabo las nominaciones bajo el criterio (viii), la UICN atiende la revisión de expertos nombrados por la IUGS y la AIG con el objeto de asegurar que las reivindicaciones por distinciones globales se pongan a prueba y sean verificadas. La UICN, además, colabora con la División de Ciencias Ecológicas y de la Tierra de la UNESCO, buscando especialmente dar apoyo al trabajo de la nueva iniciativa de la Red Global de Geoparques, la cual proporciona una estrategia alternativa viable para el reconocimiento de paisajes geológicos significativos de importancia internacional, pero que no llegan a alcanzar el selectivo nivel que significa un Valor Universal Excepcional.

Un aspecto particularmente desafiante para el criterio (viii) es que su marco de evaluación es global y no regional en tanto que refleja la distribución global de rasgos geomorfológicos comparables, así como la perspectiva mundial requerida para representar a la totalidad de los 4,600 millones de años con que cuenta la historia de la Tierra, incluyendo la evolución de la vida en la geografía del planeta. A lo largo de estos marcos temporales, el planeta ha sufrido cambios drásticos como la evolución de la vida y sus irrupciones debido a extinciones masivas, o a la transformación de los continentes.

different aspects of geodiversity. This approach aims to assist global comparative analysis of possible sites under criterion (viii), and assist in identifying gaps and evaluating nominations. An overview of these themes and some of the sites that illustrate them is as follows:

1. The tectonic and structural features theme includes elements of global-scale crustal dynamics, including continental drift and seafloor spreading, major landforms and features at plate boundaries, and rift-valley systems. The Swiss Tectonic Arena Sardona, selected as the most emblematic site for the scientific knowledge of mountain-building, is one of the examples of this theme.

2. Volcanoes/volcanic systems encompass major areas and types of volcanic origin and evolution. These geological themes may include examples of major features such as the "Pacific Ring of Fire" as a global-scale expression of volcanic activity and associated crustal movements. The World Heritage List includes many volcanoes—considered one of the best represented of the geological themes—the largest known in Hawaii Volcanoes National Park and Italy's highly active Mount Etna.

3. Mountain systems are recognized across all four natural World Heritage criteria. Major mountain zones and chains of the world are represented by sites such as Huascarán National Park in the Sierra Central of the Peruvian Andes. The park covers most of the Cordillera Blanca, the highest tropical mountain range in the world with twenty-seven snow-capped peaks over 6,000 meters above sea level.

4. Stratigraphic sites include rock sequences that provide a record of key Earth history events. The World Heritage List includes a few of these sites. One example is Stevns Klint in Denmark, whose rocks are the best evidence of the Chicxulub meteorite impact, which occurred off the Yucatán Peninsula in Mexico and is widely believed to have caused the end of the Age of Dinosaurs.

5. Fossil sites show the geological record of life's evolution on Earth. The World Heritage List has taken a highly selective approach to these sites. The Burgess Shale records the explosion of complex life in the Cambrian Period almost 600 million years ago, including the early evolution of most animal groups known today. The Dorset and East Devon Coast in the United Kingdom spans the 185 million years of the Mesozoic Era (Age of the Dinosaurs). The more recent Wadi Al-Hitan, a mere 40 million years old, records the evolution of whales, with fossil whales that retain legs, showing their transition from land-living to marine mammals.

Con el objeto de evitar que la Lista del Patrimonio Mundial estrechara los valores a una lista altamente especializada y reconocida sólo por científicos, las evaluaciones consideran también a sitios naturales en donde se presentan valores relevantes para la comprensión de la historia de la Tierra y sus procesos geológicos. Los Lineamientos Operativos de la Convención también incluyen requisitos específicos sobre la integridad de la geodiversidad de los Sitios del Patrimonio Mundial, enfatizando claramente la necesidad de que éstos incluyan a elementos, a formaciones geológicas o a manifestaciones de interacciones naturales de relevancia global. Quizás por estas razones es que el criterio (viii) sea el menos utilizado, o tal vez el más selectivo de todos los criterios naturales del Patrimonio Mundial.

Para respaldar la aplicación consistente del criterio (viii), la UICN ha adoptado un marco de trece temas que aplican a diferentes aspectos de la geodiversidad. Esta aproximación busca dar sustento al análisis comparativo de todos los sitios con probabilidad de ser seleccionados utilizando el criterio (viii) y apoya en la identificación de las disparidades y en la evaluación de las nominaciones. A continuación se ilustran ejemplos de estos temas y algunos sitios:

1. El tema de los rasgos estructurales y la tectónica incluyen elementos de la dinámica de placas a escala global, incluyendo la deriva continental y la expansión del fondo oceánico, los principales accidentes geográficos, las particularidades de las fronteras de las placas tectónicas y el sistema de fosas tectónicas. El Sitio Tectónico Suizo del Sardona, elegido como el sitio mas emblemático por el conocimiento científico que se tiene de la formación de montañas, es un ejemplo de este tema.

2. Los volcanes/sistemas volcánicos comprenden grandes extensiones, además de la caracterización de su génesis y evolución. Estos temas geológicos pueden incluir ejemplos notables como el Cinturón de Fuego del Pacífico pues constituye una expresión a escala global de las actividades volcánicas asociadas a la tectónica de placas. La Lista del Patrimonio Mundial incluye muchos volcanes—se le considera uno de los temas geológicos más representativos—, entre los más notorios están el Parque Nacional de los Volcanes de Hawái (Estados Unidos) y el activo volcán Monte Edna (Italia).

3. Los sistemas montañosos están reconocidos en todos los criterios naturales del Patrimonio Mundial. Las regiones montañosas y cordilleras del mundo están representadas en sitios como el Parque Nacional de Huascarán en la zona andina central del Perú. El parque

6. Fluvial, lacustrine, and deltaic systems illustrate the erosional and depositional force of water in rivers, lakes, and deltas. One of the best examples is Lake Baikal (Russian Federation), the oldest and deepest (1,700 meters) of the world's lakes, containing nearly 20 percent of the world's unfrozen freshwater.

7. Caves and karst systems record subterranean hydrological processes and landforms, together with their surface expressions. The South China Karst World Heritage Site unites the most spectacular protected areas in one of the world's two great karst provinces, and includes spectacular limestone landscapes such as the Shilin stone forest and Guilin tower and cone karst.

8. Coastal systems illustrate the role of water in shaping large-scale erosional and depositional coasts and banks. The Wadden Sea, stretching across the Netherlands, Germany, and Denmark, is the largest unbroken system of intertidal sand and mudflats in the world, with a variety of different barrier islands, channels, gullies, salt marshes, and other features.

9. Reefs, atolls, and oceanic islands are frequently recognized by other natural criteria as well, due to their biodiversity values. Australia's Great Barrier Reef is the world's largest coral reef ecosystem, ranging from inshore fringing reefs to mid-shelf reefs and exposed outer reefs, including examples of all stages of reef development.

10. Glaciers and ice caps include sites that show the significant role of ice in landform development in alpine and polar regions. The Ilulissat Icefjord in Greenland is one of the fastest advancing (40 meters per day) and most active glaciers in the world. Its annual calving of more than 46 cubic kilometers of ice accounts for 10 percent of the production of all Greenland calf ice, more than any other glacier outside Antarctica.

11. Ice Age sites recognize global patterns of continental ice-sheet expansion and recession, sea-level changes, and associated biogeographic changes. The joint site of the High Coast of Sweden and Kvarken Archipelago of Finland shows rapid rise of land, following the retreat of the last inland ice sheets of the last Ice Age, with around 290 meters of land uplift recorded over the past 10,500 years and an exceptional diversity of glacial landforms.

12. Arid and semiarid desert systems reflect the dominant role of wind (eolian processes) and intermittent fluvial action as agents of landform development and landscape evolution. Examples include the dramatic and extensive dune fields of Namibia's Namib Sand Sea and

comprende casi en su totalidad a la Cordillera Blanca, que es la cadena montañosa tropical más alta del mundo, con veintisiete picos nevados a más de 6 mil metros sobre el nivel del mar.

4. Las secuencias rocosas de los sitios estratigráficos proporcionan registros clave de los eventos de la historia de la Tierra. La Lista del Patrimonio Mundial incluye algunos de éstos. Un ejemplo es el acantilado Stevns Klint (Dinamarca), cuyas formaciones rocosas son la mejor evidencia de la colisión del meteorito Chicxulub, ocurrido a orillas de la Península de Yucatán, en México, acerca del cual existe un amplio consenso de haber sido el causante de la finalización de la Era de los Dinosaurios.

5. Los sitios fosilíferos constituyen el historial de la evolución de la vida en la Tierra. La Lista del Patrimonio Mundial ha adoptado un enfoque muy selectivo para estos sitios. Las evidencias del Esquisto de Burgess muestran la explosión de vida compleja del Periodo Cámbrico hace unos 600 millones de años, incluyendo la evolución temprana de la mayoría de los grupos animales conocidos hoy día. El Litoral de Dorset y del este de Devon en el Reino Unido abarca los 185 millones de años de la Era Mesozoica (Era de los Dinosaurios). La formación Uadi Al Hitan con tan sólo 40 millones de años de edad, contiene el historial de la evolución de las ballenas con fósiles que retienen sus patas, mostrando su transición de mamíferos terrestres a marinos.

6. Los sistemas fluviales, lacustres y deltaicos ilustran las fuerzas erosivas y sedimentarias de las aguas de ríos, lagos y deltas. Uno de los mejores ejemplos es el Lago Baikal (Federación de Rusia), el lago más antiguo y profundo del mundo (1,700 metros), el cual contiene cerca del 20 por ciento del agua dulce no congelada del mundo.

7. Los sistemas ársticos y cavernosos registran los procesos hídricos subterráneos y el relieve, de la misma manera que lo hacen en la superficie. El sitio de Karst de la China Meridional reúne las áreas protegidas más espectaculares en una de las dos provincias cársticas más fantásticas del mundo. Presenta formaciones geológicas preeminentes de cantera caliza, como el bosque de piedra Shilin y la torre y cono kárstico de Guilin.

8. Los sistemas costeros ilustran el papel que juega el agua en la formación erosiva y sedimentaria a gran escala de costas y barras. El Mar de las Wadden que se extiende a lo largo de Holanda, Alemania y Dinamarca, es el sistema de barras arenosas intermareales y marismas más grande del mundo, con una gran variedad de barreras insulares, canales, cárcavas, humedales salinos y otros rasgos característicos.

El Pinacate y Gran Desierto de Altar Biosphere Reserve located in the Sonoran Desert of Mexico. The vast sea of sand dunes surrounding a volcanic landscape is considered the largest and most active dune system in North America, and includes spectacular and very large, star-shaped dunes.

13. Meteorite impact sites, another select category, provide the physical evidence of meteorite impacts and major changes that have resulted from them. The Vredefort Dome in South Africa, a massive eroded crater that formed about two billion years ago, is the oldest and largest known meteorite impact structure on Earth. It is the site of the world's greatest single-known, energy-release event.

The adoption of the above approach does not imply equal representation on the World Heritage List of each theme. Nor does it automatically imply that sites of suitable quality will be found for each theme, and sites are still required to satisfy not only the conditions of Outstanding Universal Value, but also the requirements of integrity and management. Some themes may be represented by only a few sites, because even the best sites within a theme may not satisfy these integrity/management criteria. IUCN has also commissioned more detailed global studies for some of the themes. The longest standing of these is the study related to fossil sites, which provides a philosophical approach to selecting such sites, and a checklist of ten questions that IUCN uses to guide its assessments. Many of these questions are more widely relevant to the selection of geological sites as a whole. The two thematic studies on volcanoes and caves and karst were developed to provide guidance on themes considered to be approaching an adequate level of representation of sites on the World Heritage List. In the case of deserts, the thematic study was commissioned due to the relatively limited attention that has been paid to deserts within the World Heritage List.

Following decades of study, the World Heritage List can be seen as nearly complete as a selection of the planet's most exceptional geodiversity, but gaps still remain. Apart from the relatively low representation of desert systems, other categories still have gaps, and new discoveries of exceptional sites are still being made. Polar regions are another area where coverage is limited. Despite karst's strong representation, key sites, such as the Dinaric Karst of Southeast Europe, are not yet listed. The latest review of marine World Heritage by IUCN also indicates that the geodiversity of the oceans has not been fully considered. Alongside World Heritage,

9. Los arrecifes, atolones e islas oceánicas con frecuencia son reconocidos también mediante otros criterios naturales debido a sus valores de biodiversidad. El arrecife del sitio del Patrimonio Mundial La Gran Barrera (Australia) es el ecosistema coralino más grande del mundo que va desde los arrecifes costeros hasta aquellos ubicados a media plataforma oceánica y los arrecifes marginales expuestos, constituyendo un ejemplo de todas las etapas de desarrollo del arrecife.

10. Los glaciares y los casquetes polares contienen sitios que muestran el importante papel del hielo en el desarrollo de formaciones geológicas en las regiones montañosas y polares. El Fiordo Helado de Ilulissat en Groenlandia, es uno de los glaciares que fluyen mas velozmente y mas activos del mundo (40 metros por día). Su desgajamiento anual es de más de 46 kilómetros cúbicos de hielo, o sea el 10 por ciento de la producción de hielo de Dinamarca, más que cualquier otro glaciar fuera de la Antártida.

11. Los sitios de la Era del Hielo revelan patrones globales de la expansión y contracción de las capas de hielo, de los cambios de nivel del mar, así como de los cambios biogeográficos asociados. El conjunto de sitios de la Costa Alta en Suecia y el Archipiélago Kvarken de Finlandia nos muestran la rápida emergencia de la tierra seguida del retroceso de los hielos de la última glaciación, con una elevación de la corteza terrestre de alrededor de 290 metros en los últimos 10,500 años y la excepcional diversidad de relieves glaciares.

12. Los sistemas áridos y semiáridos desérticos reflejan el papel dominante del viento (proceso eólico) y la acción intermitente de las escorrentías en la formación y evolución del paisaje. Ejemplos de esto son el Arenal de Namib (Namibia) y la Reserva de la Biosfera El Pinacate y Gran Desierto de Altar en el desierto de Sonora en México, en donde el vasto mar de dunas que rodea al paisaje volcánico es considerado el sistema de dunas más grande y activo de Norteamérica, que contiene unas espectaculares y enormes dunas en forma de estrella.

13. Otra categoría de selección son los sitios de impacto de meteoritos, que proporcionan evidencia física de los grandes cambios sufridos por estos eventos. Tal es el caso del Bóveda de Vredefort (Sudáfrica), un cráter masivamente erosionado, formado hace dos mil millones de años y que es la estructura más antigua y más grande de la Tierra, formada por el impacto de un meteorito. Es el sitio de liberación de mayor energía que se haya conocido en el mundo.

La adopción de los enfoques anteriores no implica necesariamente la representatividad equitativa de cada tema en la Lista del Patrimonio

there are also increasing opportunities to recognize geological heritage through UNESCO's rapidly developing Global Geoparks initiative. The innovative approach of World Heritage's criterion (viii) provides a strong foundation to strengthen conservation of our shared geodiversity in the decades to come.

TIM BADMAN and BASTIAN BERTZKY

Mundial. Tampoco implica que automáticamente los sitios con las cualidades apropiadas formen parte de alguna temática, pues no sólo tienen que satisfacer las condiciones de Valor Universal Excepcional, sino que además deben llenar los requisitos de integridad y manejo. Algunos temas pueden estar representados sólo por unos cuantos sitios, y esto es porque, incluso los mejores sitios dentro de una temática, no satisfacen los criterios de integridad o de manejo. Por esto, la UICN ha comisionado más estudios a nivel global para algunos de estos temas. Uno de los estudios estudios mas extensos es el relativo a sitios fósiles, que conlleva un enfoque filosófico en la selección de estos sitios, además de una lista de diez preguntas que la UICN utiliza para guiar sus valoraciones. Muchas de estas preguntas tienen una relevancia de mayor amplitud que la mera observación de los atributos geológicos para la selección del sitio. Dos de los estudios sobre las temáticas de volcanes, cavernas y eventos kársticos se desarrollaron para usarse como guías en temas considerados como muy cercanos a tener una representatividad plena en los Sitios del Patrimonio Mundial. En el caso de los desiertos, el estudio temático fue comisionado debido a la falta de atención que se brindaba al tema en la Lista del Patrimonio Mundial.

Después de décadas de estudios, la Lista del Patrimonio Mundial puede considerarse como una colección relativamente completa de la geodiversidad del planeta, aunque aún persisten algunos vacíos. Aparte de la baja representación de los sistemas desérticos, otras categorías tienen sitios excepcionales que aún se están descubriendo. Las regiones polares son otras áreas que tienen una cobertura limitada. A pesar de que los sitios kársticos tienen una buena representación, existen sitios clave como el Karst Dinárico de Europa Sudoriental que todavía no están enlistados. La última revisión de la UICN sobre el Patrimonio Mundial marino también señala que la geodiversidad de los océanos aún no ha sido considerada en su totalidad. Además del reconocimiento por el Patrimonio Mundial, también la iniciativa de Geoparques Globales de la UNESCO, que crece con rapidez, constituye una oportunidad para el reconocimiento del patrimonio geológico. Finalmente, en las décadas que siguen, el innovador enfoque del criterio (viii) del Patrimonio Mundial proporcionará bases firmes para reforzar la conservación de nuestra compartida geodiversidad.

TIM BADMAN y BASTIAN BERTZKY

4

Criterion (ix) | Criterio (ix)

Ecological and biological processes

Procesos ecológicos y biológicos

When the World Heritage Convention was adopted in 1972, the term biological diversity or "biodiversity" had not yet been coined. Nonetheless, Article 2 of the Convention already used key components of biodiversity in its definition of what constitutes natural heritage: "species" and their "habitats," and "biological formations or groups of such formations," such as ecosystems and ecosystem types (for example, rainforests or coral reefs).

The term biodiversity refers to the variety of life on Earth, and the World Heritage criteria (ix) and (x) are commonly referred to as biodiversity criteria, because both recognize values that relate to living organisms, such as plant and animal species, their natural habitats, the communities and ecosystems they form, and the ecological and biological processes that shape and sustain them. Hence, these two criteria are closely linked and often used in combination with each other. In addition, criterion (vii) can be applied to biodiversity related to "superlative phenomena," such as wildlife concentrations and migrations, and criterion (viii) includes the fossil record of life on Earth.

Under criteria (ix) and (x), the World Heritage List recognizes many of the world's most famous conservation areas, including Australia's Great Barrier Reef, the Okavango Delta in Botswana, the Pantanal Conservation Area in Brazil, Lorentz National Park in Indonesia, the Ngorongoro Conservation Area in Tanzania, and Yellowstone National Park in the United States. In short, World Heritage criterion (ix) applies specifically to outstanding examples of ongoing ecological and biological processes that characterize relatively intact ecosystems and their evolution (see page 4 for exact wording of the criterion).

Cuando fue adoptada la Convención del Patrimonio Mundial en 1972, el término diversidad biológica o "biodiversidad" aún no había sido acuñado. A pesar de ello, el Artículo 2 de la Convención ya utilizaba en su definición de la biodiversidad los componentes clave de lo que conforma el patrimonio natural: las "especies" y sus "hábitats", y las "formaciones biológicas o grupo de formaciones", tales como los ecosistemas y tipologías de ecosistemas (por ejemplo selvas húmedas y arrecifes de coral).

El término biodiversidad se refiere a la diversidad de vida sobre la Tierra, y a los criterios (ix) y (x) del Patrimonio Mundial, a los que se les reseña como criterios de biodiversidad pues ambos identifican valores concernientes a los organismos vivos, como las especies de plantas y animales y sus ambientes naturales; a las comunidades y a los ecosistemas que forman y los procesos biológicos que les determinan y sustentan. Por tanto, estos dos criterios están íntimamente ligados y a menudo se utilizan de manera combinada. Además, el criterio (vii) puede ser aplicado a la biodiversidad en relación al "fenómeno excepcional", como las concentraciones y migraciones de la vida salvaje. El criterio (viii) incluye los vestigios fósiles de la vida sobre la Tierra.

Usando los criterios (ix) y (x), la Lista del Patrimonio Mundial reconoce a muchas de las áreas de conservación más conocidas, como la Gran Barrera de Australia, el Delta del Okavango en Botswana, la Zona de Conservación del Pantanal en Brasil, el Parque Nacional de Lorentz en Indonesia, la Zona de Conservación de Ngorongoro en Tanzania y el Parque Nacional de Yellowstone en los Estados Unidos.

Yellowstone National Park | Parque Nacional de Yellowstone
United States of America | Estados Unidos de América
ART WOLFE/ARTWOLFE.COM

Ecosystems are dynamic complexes of plant and animal communities and their nonliving environment. Criterion (ix) covers terrestrial, freshwater, coastal, and marine environments, and focuses on their ecosystem values and processes. In contrast, criterion (x) recognizes the species and habitat values of such environments, as discussed in the next chapter.

Important ecological and biological processes that are recognized under criterion (ix) include evolutionary processes, movements of organisms, interactions between organisms, biogeochemical cycles, and natural disturbance regimes, such as fires and floods. Excellent examples of criterion (ix) include the evolution of life on the Galápagos Islands in Ecuador, the unique fynbos ecosystems in South Africa's Cape Floral Region Protected Areas, the ancient forest ecosystems in the Gondwana Rainforests of Australia, the Redwood National and State Parks in the United States, the vast wilderness areas within Brazil's Central Amazon Conservation Complex, and the Central Suriname Nature Reserve in Suriname.

The wording of criterion (ix), which until 2005 was known as natural criterion (ii), has changed several times during the Convention's lifetime. The original 1977 wording referred specifically to three elements: biological evolution, geological processes, and human-nature interaction. Most important for today's interpretation, the original wording already noted that outstanding examples of biological evolution would include "examples of biomes such as tropical rainforests, deserts, and tundra."

From 1977 to 1994, when the current wording of criterion (ix) was adopted, the criterion also included outstanding examples of geological processes, now recognized under criterion (viii). Moreover, the criterion recognized outstanding examples of "man's interaction with his natural environment," such as terraced agricultural landscapes. However, when the Convention created a separate category in 1992 to recognize as "cultural landscapes" those cultural and/or mixed sites that represent the "combined works of nature and of man," the human-nature interaction was taken out of this criterion. So far it has not been possible for purely natural sites (those which do not also meet any of the cultural criteria) to be recognized as cultural landscapes, although the earlier wording of criterion (ix) clearly encompassed this idea.

On the other hand, from 1977 to 1994, criterion (vii) explicitly included outstanding examples of the most important ecosystems, which have since been recognized under criterion (ix). Salonga

El criterio (ix) del Patrimonio Mundial se destina específicamente a ejemplos sobresalientes de procesos biológicos y ecológicos actuales que son característicos de ecosistemas relativamente intactos y a su evolución (ver página 4). Los ecosistemas comprenden complejos dinámicos de plantas y comunidades animales y su entorno físico. El criterio (ix) cubre los ambientes terrestres, dulceacuícolas, costeros y los ambientes oceánicos, concentrándose en sus valores y procesos ecosistémicos. En contraste, el criterio (x) reconoce a las especies y los valores del hábitat de estos entornos en otros términos, mismos que se discuten en el próximo capítulo.

Bajo el criterio (ix) se reconocen importantes procesos ecológicos y biológicos entre los que encontramos los procesos evolutivos, los movimientos de los organismos, las interacciones entre los organismos, los ciclos biogeoquímicos y los regímenes de alteración natural, como son los incendios y las inundaciones. Ejemplos excelentes del criterio (ix) son: la evolución de la vida en las Islas Galápagos en Ecuador, los singulares ecosistemas de fynbos en las Zonas Protegidas de la Región Floral de El Cabo en Sudáfrica, los antiguos ecosistemas forestales de los Bosques Lluviosos del Gondwana de Australia, el Parque Nacional y Parques Estatales de Redwood en los Estados Unidos, las extensas áreas silvestres del Complejo de Conservación de la Amazonia Central en Brasil y la Reserva Natural de Suriname Central.

El texto del criterio (ix), que hasta 2005 era conocido como el criterio natural (ii), ha cambiado en varias ocasiones durante el transcurso de la Convención. El texto original de 1977 se refería específicamente a tres elementos: los procesos biológicos, evolutivos y geológicos, además de la interacción humana. Para su actual interpretación es de suma importancia indicar que en el texto original ya aparecían ejemplos sobresalientes de la evolución biológica, entre ellos, los "ejemplos de biomas como son las selvas húmedas tropicales, los desiertos y la tundra".

De 1977 a 1994, cuando se adoptó el actual texto del criterio (ix), en él también se incluyeron ejemplos sobresalientes de procesos geológicos que ahora están reconocidos bajo el criterio (viii). Por otra parte, el criterio reconoció ejemplos notables de "interacciones humanas con su medio ambiente", como los paisajes agrícolas en terrazas. Sin embargo, cuando la Convención, en 1992 creó una categoría independiente para reconocer los "paisajes culturales", aquellos sitios culturales y/o mixtos representativos de "trabajos combinados hombre-naturaleza", la interacción entre humanos y

National Park in the Democratic Republic of the Congo, for example, was inscribed in 1984 under criteria (vii) and (ix) as a large and intact tropical rainforest reserve in Central Africa, without any reference to natural beauty or superlative natural phenomena, which are the current triggers for criterion (vii).

The Convention's Operational Guidelines stress that criterion (ix) sites need to be of sufficient size to allow unimpeded ecological function, and as a result they are often large in area. Criterion (ix) sites also need to be whole and intact enough to cover the essential ecological and biological processes for the long-term conservation of ecosystems and communities of plants and animals (see page 28 for the exact wording of the corresponding condition of integrity).

IUCN, in its evaluation of new nominations against criteria (ix) and (x), assesses the key biodiversity values of a site and compares these to other sites with similar values and/or in a comparable biogeographic context. For example, rainforest sites are compared with other rainforest sites, and desert sites with other desert sites. The comparative analysis, carried out in cooperation with the United Nations Environment Programme World Conservation Monitoring Centre (UNEP-WCMC), usually includes existing World Heritage Sites, sites on countries' Tentative Lists for future nominations, and other relevant protected areas. The analysis seeks to clarify, with the help of appropriate indicators and datasets, whether the nominated site is really "outstanding," being exceptionally significant on a global scale, with regard to the criterion in question.

IUCN's evaluation of criterion (ix) assesses, for example, the uniqueness, naturalness, intactness, and representativeness of the nominated site's ecosystem values and processes. IUCN considers if these values and processes are globally significant and currently underrepresented or not represented on the World Heritage List, and if the site is the best, or one of the best, examples of the ecosystems concerned. The evaluation takes into account a series of global thematic studies (for example on forests, mountains, wetlands, and marine and coastal areas) that IUCN and partners have developed to identify outstanding sites. The evaluation is also based on spatial analyses that assess the nominated site and comparable sites against biogeographic classification schemes and approaches that identify global priorities for biodiversity conservation.

The terrestrial and marine ecoregions of the world are used in these analyses to clarify the biogeographic context of sites. Terrestrial and

la naturaleza se eliminó de este criterio. A los sitios naturales puros (aquellos que tampoco alcanzan ningún criterio cultural) no les ha sido posible hasta ahora, ser reconocidos como paisaje cultural, a pesar de que esta idea se enunciaba claramente en el texto original del criterio (ix).

Por otra parte, de 1977 a 1994, el criterio (vii) explícitamente incluía notables ejemplos de los ecosistemas más importantes, mismos que desde entonces se reconocen bajo el criterio (ix). Por ejemplo, el Parque Nacional Salonga en la República Democrática del Congo fue inscrito en 1984 bajo los criterios (vii) y (ix), como una extensa reserva de selva tropical intacta de África Central, sin tener ninguna referencia sobre su belleza natural, o como fenómeno natural excepcional, que son los actuales atributos para la aplicación del criterio (vii).

Las Directrices Operativas de la Convención señalan que el criterio (ix) necesita tener un tamaño suficiente para que exista su función ecológica irrestricta, lo que a menudo resulta en grandes extensiones. Los sitios del criterio (ix) también requieren ser suficientemente íntegros e intactos para cubrir los procesos ecológicos y biológicos esenciales para la conservación a largo plazo de los ecosistemas y las comunidades de plantas y animales (véase el siguiente recuadro acerca de las condiciones adecuadas de integridad).

La UICN, en su evaluación de las nuevas nominaciones mediante los criterios (ix) y (x), apunta a los valores de biodiversidad claves del sitio y los compara a otros sitios con valores similares y/o de contexto biogeográfico comparable. Un ejemplo de esto son los sitios de selva húmeda o desiertos que son comparados con otros que son similares. El análisis comparativo llevado a cabo en cooperación con el Programa de las Naciones Unidas para el Medio Ambiente y el Centro de Monitoreo de la Conservación del Ambiente, normalmente incluye a Sitios del Patrimonio Mundial, a sitios en Listas Tentativas de diversos países para nominaciones futuras, así como otras áreas protegidas relevantes. Con el apoyo de indicadores e información apropiados, el análisis busca clarificar si los sitios nominados son o no en realidad "excepcionales" y de significado sobresaliente a escala global con respecto del criterio de referencia.

La UICN evalúa el uso del criterio (ix), por ejemplo sobre el carácter único, natural, de integridad y de representatividad de los valores y procesos del ecosistema del sitio nominado. La UICN considera si estos valores y procesos son significativos a nivel global y si están actualmente sub-representados o ausentes en la Lista del

Criterion (ix) and the Operational Guidelines

Properties proposed under criterion (ix) should have sufficient size and contain the necessary elements to demonstrate the key aspects of processes that are essential for the long-term conservation of the ecosystems and the biological diversity they contain. For example, an area of tropical rainforest would meet the conditions of integrity if it includes a certain amount of variation in elevation above sea level, changes in topography and soil types, patch systems and naturally regenerating patches; similarly a coral reef should include, for example, seagrass, mangrove, or other adjacent ecosystems that regulate nutrient and sediment inputs into the reef.

Criterio (ix) y las Directrices Operativas

Los sitios propuestos en virtud del criterio (ix) deberán de ser lo suficientemente extensos y contener los elementos necesarios para ilustrar los principales aspectos de esos procesos esenciales para la conservación a largo plazo de los ecosistemas y de la diversidad biológica que contengan. Por ejemplo, una zona de "bosques tropicales húmedos" cumplirá las condiciones de integridad si comprende cierto grado de variación de altitud con respecto al nivel del mar, alteraciones de la topografía y de los tipos de suelos, sistemas fluviales y parcelas de regeneración natural; de modo similar, un arrecife de coral comprenderá por ejemplo praderas halófilas, manglares u otros ecosistemas contiguos reguladores de las aportaciones de nutrientes y sedimentos al arrecife.

Panthera leo | Lion | Léon
Ngorongoro Conservation Area | Zona de Conservación de Ngorongoro
United Republic of Tanzania | República Unida de Tanzania
NICK GARBUTT

marine biodiversity hotspots, high biodiversity wilderness areas, and the so-called Global 200 priority ecoregions for marine, freshwater, and terrestrial environments are then used to assess the global significance of comparable sites. These broad-scale prioritization approaches are considered relevant to criterion (ix), as they identify broader priority areas that encompass outstanding ecosystems, communities of plants and animals, and associated processes. When it becomes available, the global IUCN Red List of Ecosystems will also be a useful tool to identify threatened and/or unique ecosystems that may warrant World Heritage listing.

Criterion (ix) has been used for 117 (51 percent) of the 228 natural and mixed sites on the World Heritage List. Five sites are inscribed only under this criterion: 3 island sites in Iceland, Japan, and the Solomon Islands, and 2 temperate forest sites, 1 in Japan and the other a trinational site in Germany, Slovakia, and Ukraine. Criterion (ix) has been used most frequently (92 sites) in conjunction with criterion (x), the other biodiversity criterion, followed by criterion (vii) (64 sites) and criterion (viii) (33 sites). Only 25 of the sites with criterion (ix) are not listed under criterion (x). Thirteen of the criterion (ix) sites are also mixed sites, inscribed under one or more cultural criteria.

The total area of these criterion (ix) sites is 239 million hectares, or 87 percent of the total area of all natural and mixed sites, an area equivalent to the size of Algeria, the largest country in Africa, or three and a half times the size of Texas. The largest criterion (ix) site is the Phoenix Islands Protected Area in Kiribati (41 million hectares), and the smallest one is Vallée de Mai Nature Reserve on the Seychelles (20 hectares). With a mean size of almost 2.1 million hectares and a median size of 370,000 hectares, criterion (ix) sites are, on average, much larger than sites inscribed under the other natural criteria.

The criterion (ix) sites represent a wide range of ecosystem types and associated processes on all continents except Antarctica, where the Convention does not apply. They include 34 sites with marine areas, including several very large marine protected areas in the Pacific, and 45 sites that overlap with the world's remaining intact forest landscapes. Considering some well-known global conservation prioritization schemes, criterion (ix) sites represent 29 (83 percent) of the world's 35 terrestrial biodiversity hotspots, all of its 5 high-biodiversity wilderness areas, 14 of its 19 other large wilderness areas, and 142 (60 percent) of the world's 238 priority ecoregions.

Two recent IUCN analyses sought to identify broad gaps in

Patrimonio Mundial, así como si el sitio es el mejor, o uno de los mejores ejemplos de los ecosistemas en cuestión. La evaluación toma en consideración una serie de estudios temáticos (por ejemplo sobre bosques, montañas, humedales, así como espacios marinos o costeros) que la UICN y sus organizaciones asociadas han desarrollado para la identificación de sitios sobresalientes. La evaluación también comprende análisis espaciales que examinan el sitio nominado contra otros sitios semejantes, en un esquema de clasificación biogeográfica, que contempla prioridades globales para la conservación de la biodiversidad.

Las ecorregiones terrestres y marinas del mundo son utilizadas en estos análisis con el objeto de aclarar el contexto biogeográfico de los sitios. De esta manera, para evaluar la importancia entre sitios comparables se utilizan los hotspots de biodiversidad marina, las áreas de alta biodiversidad silvestre y las llamadas 200 Ecorregiones Globales prioritarias marinas y dulceacuícolas así como medioambientes terrestres. Estas aproximaciones que utilizan una escala de priorización general son relevantes para el criterio (ix) pues se logran identificar grandes áreas de prioridad que toman en consideración ecosistemas sobresalientes, a comunidades de plantas y de animales y a los procesos asociados. Cuando así lo amerita, la Lista Roja de Ecosistemas de la UICN es también una herramienta útil para la identificación de ecosistemas únicos y/o amenazados que justifiquen su selección para el Patrimonio Mundial.

El criterio (ix) ha sido utilizado para 117 (51 por ciento) de los 228 sitios naturales y mixtos de la Lista del Patrimonio Mundial. Son cinco los sitios inscritos bajo este criterio: tres sitios son islas en Islandia, Japón y las Islas Solomon. Dos son sitios del bosque templado, uno en Japón y otro en una zona trinacional situada entre Alemania, Eslovaquia y Ucrania. El criterio (ix) ha sido utilizado con frecuencia (en 92 sitios) en relación al criterio (x) que es el otro criterio sobre biodiversidad, seguido por el criterio (vii) en (64 sitios), y el criterio (viii) (en 33 sitios). Sólo 25 de los sitios del criterio (ix) no están listados bajo el criterio (x). Trece sitios del criterio (x) son también sitios mixtos y están listados bajo uno o más criterios culturales.

El área total que cubren los sitios del criterio (ix) es de 239 millones de hectáreas, comprendiendo el 87 por ciento del total de la extensión de los sitios naturales y mixtos, superficie equivalente al territorio de Argelia, que es el país más grande de África, o a tres y media veces el tamaño del estado de Texas. El sitio más grande del criterio (ix)

the natural World Heritage network for terrestrial and marine environments with potential Outstanding Universal Value. The studies used global classification and prioritization schemes to assess gaps concerning the ecosystem element of criterion (ix). Gaps for specific ecological and biological processes were not assessed in either of the analyses, mainly because most of these have not yet been mapped globally, and hence this element of criterion (ix) remains understudied.

These analyses indicated that six terrestrial biodiversity hotspots are not yet recognized on the World Heritage List under criterion (ix): The Chilean Winter Rainfall and Valdivian Forests, Madrean Pine-Oak Woodlands, and Irano-Anatolian hotspots have no biodiversity sites on the List, while the Horn of Africa, Philippines, and Wallacea hotspots are only represented by sites inscribed under criterion (x). All of these hotspots are extremely important, and the Convention should prioritize efforts to include outstanding sites from these hotspots. Other hotspots, such as the Succulent Karoo in southern Africa, the Mediterranean Basin, and New Caledonia, still have marginal coverage on the List. There may also be potential for nominations of globally significant sites from the more than 40 Global 200 terrestrial priority ecoregions that are not yet present on the List. But more important, such sites need to be identified and nominated for the marine environment, where the unique biodiversity values of 28 (45 percent) of the world's 62 marine provinces are still absent from the List.

In both the terrestrial and marine environment, criterion (ix) also has an important role to play in the protection of globally important wilderness areas, of which there are ever fewer remaining. These are large, intact areas with minimal human disturbance that maintain important ecological processes, including large-scale ecological connectivity. Large wilderness areas of potential World Heritage quality may still be found, most likely in the tropical forests of Amazonia and New Guinea, and in the vast boreal/taiga, tundra, and desert ecosystems of the world.

BASTIAN BERTZKY, GUY DEBONNET, CYRIL F. KORMOS, RUSSELL A. MITTERMEIER, PETER SHADIE, and JAMES THORSELL

es la Zona Protegida de las Islas Fénix de Kiribati (41 millones de hectáreas) y el más pequeño es la Reserva Natural del Valle de Mai de las Seychelles (20 hectáreas). Con una extensión promedio de 2.1 millón de hectáreas y una mediana de 370 mil hectáreas, los sitios del criterio (ix) son en promedio, mucho más grandes que cualquier otro sitio inscrito bajo algún otro criterio natural.

Los sitios del criterio (ix) representan una amplia gama de tipos de ecosistemas y procesos asociados en todos los continentes, excepto en la Antártida en donde no se aplica la Convención. Son 34 sitios con espacios marinos, incluyendo a varias áreas marinas protegidas muy extensas localizadas en el Pacífico, y 45 sitios que se traslapan con los últimos paisajes boscosos que restan en el mundo. Considerando algunos esquemas bien conocidos de priorización global de conservación, los sitios del criterio (ix) representan 29 (83 por ciento) de los 35 hotspots de biodiversidad terrestre y todas las cinco áreas de alta biodiversidad silvestre, 14 de las 19 áreas silvestres más grandes del mundo, y 142 (60 por ciento) de las 238 ecorregiones prioritarias del mundo.

Dos análisis recientes de la UICN intentaron identificar huecos de conocimiento en las redes de medioambientes marinos y terrestres del Patrimonio Mundial natural con potencial de Valor Universal Excepcional. Los estudios utilizaron esquemas de clasificación y priorización global para evaluar los vacíos ecosistémicos del criterio (ix). Estos vacíos específicos entre procesos ecológicos y biológicos no han sido evaluados en ninguno de los análisis, principalmente porque muchos de ellos aún no han sido localizados en el mapamundi y por lo tanto, este elemento del criterio (ix) permanece poco estudiado.

Estos análisis muestran que seis hotspots de la biodiversidad terrestre aún no han sido reconocidos en la Lista del Patrimonio Mundial bajo el criterio (ix): De Chile, el Bosque Templado Lluvioso Valdiviano, el Bosque de Pino-Encino Madreano y el hotspot de la Anatolia-Iraní no tienen ningún sitio en la Lista, mientras que los hotspots de la región del Cuerno de África, de Filipinas y de las islas Wallacea tienen sitios enlistados bajo el criterio (x). Todos estos hotspots son muy importantes y la Convención debería priorizar los esfuerzos para incluir los sitios excepcionales de los hotspots mencionados. Otros hotspots como el desierto del Karoo Suculento en el África meridional, la Cuenca del Mediterráneo y Nueva Caledonia permanecen con escasa representación en la Lista. Es posible que exista potencial para la nominación de sitios mundialmente significativos para más

de 40 sitios terrestres de las 200 Ecorregiones Globales prioritarias que aún no están en la Lista. Pero es más importante mencionar que estos sitios necesitan ser identificados y nominados para el ambiente marino, donde los valores de biodiversidad única de 28 (45 por ciento) de las 62 provincias marinas aún están ausentes de la Lista.

El criterio (ix) tiene un papel sobresaliente en la protección de espacios silvestres importantes, tanto en el ambiente terrestre como en el marino, en donde cada vez quedan menos. Se trata de grandes extensiones intactas con un mínimo de alteración antropogénica y que conservan procesos ecológicos importantes, incluyendo la conectividad ecológica a gran escala. Aún se pueden encontrar extensos espacios silvestres con cualidades potenciales para el Patrimonio Mundial, muy probablemente en los bosques tropicales de la Amazonia y de Nueva Guinea, y en los ecosistemas de la vasta tundra ártica, en el bosque boreal y en los desiertos del mundo.

BASTIAN BERTZKY, GUY DEBONNET, CYRIL F. KORMOS, RUSSELL A. MITTERMEIER, PETER SHADIE y JAMES THORSELL

Geochelone nigra
Galápagos giant tortoise | Tortuga gigante de las Galápagos
Galápagos Islands | Islas Galápagos
FRANS LANTING/LANTING.COM

5

Criterion (x) | Criterio (x)
Biodiversity and threatened species
Biodiversidad y especies amenazadas

The foundations for criterion (x) were already laid in Article 2 of the World Heritage Convention of 1972, which specifically included in its definition of natural heritage "precisely delineated areas which constitute the habitat of threatened species of animals and plants of Outstanding Universal Value from the point of view of science or conservation." Although the current wording of criterion (x) extends beyond threatened species, species and their natural habitats are still the main focus of this criterion.

World Heritage criterion (x) applies specifically to natural sites of outstanding importance for biodiversity, in particular species of conservation concern and the natural habitats that are critical for their survival (see page 4 for exact wording of the criterion). Species of conservation concern include, for example, globally threatened species, endemic species, evolutionary distinct species, and so-called keystone species.

While biodiversity has already been defined in the previous chapter, several other terms deserve greater elaboration here. Species are widely defined as groups of organisms with a shared, closed gene pool. For example, the African elephant is a different species from the Asian elephant. Species are considered "threatened" when they are facing a higher risk of extinction as a result of human or natural threats, and the IUCN Red List of Threatened Species is a global inventory of such species. Endemic species are geographically restricted to a particular area on the planet, such as an island or mountain, while evolutionary distinct species have few close relatives and are often extremely distinct in the way they look, live, and behave, as seen in the

Las bases para el criterio (x) ya habían sido postuladas en el Artículo 2 de la Convención del Patrimonio Universal en 1972, que en la definición de patrimonio natural específicamente incluyó "áreas delimitadas con precisión que constituyen el hábitat de especies de animales y plantas amenazadas con Valor Universal Excepcional desde el punto de vista de la ciencia o la conservación". Aunque el texto actual del criterio (x) va más allá de las especies amenazadas, las especies y su hábitat natural permanecen como el eje central de este criterio.

El criterio (x) del Patrimonio Mundial aplica específicamente a sitios naturales de importancia sobresaliente para la biodiversidad, en particular para especies que preocupan desde el punto de vista de su conservación y los hábitats naturales críticos para su supervivencia (ver el texto exacto del criterio en la página 4). Las especies que preocupan para su conservación incluyen a las globalmente amenazadas, a especies endémicas, a especies evolutivamente diferenciadas y a las denominadas especies clave.

En el capítulo anterior ya se ha definido la biodiversidad, sin embargo, muchos otros términos merecen aquí mayor elaboración. De manera amplia, se define a las especies como grupos de organismos con un acervo genético compartido. El elefante africano por ejemplo, es una especie diferente al elefante asiático. Se considera que una especie está "amenazada" cuando enfrenta un alto riesgo de extinción como resultado de amenazas naturales o antropogénicas. La Lista Roja de la UICN de Especies Amenazadas es un inventario global de esas especies. Las especies endémicas están geográficamente confinadas

Rhinopithecus bieti | Black snub-nosed monkey | Langur chato negro
Three Parallel Rivers of Yunnan Protected Areas |
Zonas Protegidas del Parque de los Tres Ríos Paralelos de Yunnan
China

XI ZHINONG/WILD CHINA FILM

platypus in Australia or the kakapo in New Zealand. Keystone species, such as wolves, jaguars, elephants, and beavers, play a critical role in the functioning of whole ecosystems. Natural habitats are the places, or types of places, where a species or population naturally occurs. For example a specific kind of wetland. Finally, in-situ conservation means the conservation of natural habitats and viable populations of species in their natural surroundings, as opposed to ex-situ conservation in botanical or zoological gardens.

Criterion (x) sites can come from terrestrial, freshwater, coastal, and marine environments. They usually include the most irreplaceable natural sites within these environments and are particularly rich in endemic or globally threatened species, or species in general. Many of these sites support iconic species such as giant pandas or gorillas, which we as humans have embraced as an important part of our world's natural heritage.

Many of the world's greatest wildlife sanctuaries are listed under criterion (x), such as Canaima National Park in Venezuela, Manú National Park in Peru, Kinabalu Park in Malaysia, Lorentz National Park in Indonesia, and Virunga National Park in the Democratic Republic of the Congo. In addition, there are many magnificent serial sites, each comprising multiple-component protected areas. Examples include the Wet Tropics of Queensland in Australia, the Atlantic Forest South-East Reserves of Brazil, the Three Parallel Rivers of Yunnan Protected Areas in China, the Western Ghats in India, the Islands and Protected Areas of the Gulf of California in Mexico, the Rainforests of the Atsinanana in Madagascar, and the Cape Floral Region Protected Areas in South Africa.

The wording of criterion (x), which until 2005 was known as natural criterion (iv), has remained remarkably stable since the early days of the Convention. The original 1977 wording already referred to "habitats where populations of rare or endangered species of plants and animals still survive," noting that this would include ecosystems with concentrations of plants and animals of universal interest and significance. In 1980, the criterion was more closely aligned with the Convention's Article 2 to refer specifically to the "most important and significant natural habitats where threatened species of animals and plants of Outstanding Universal Value . . . still survive." These changes clarified the criterion's focus on natural, as opposed to man-made, habitats, and only the most significant habitats and species. This emphasized that not every habitat with threatened species would

a un espacio particular en el planeta como, por ejemplo, una isla o una montaña, mientras que las especies evolutivamente diferenciadas tienen pocos parientes cercanos y son, a menudo, radicalmente diferentes en su apariencia, forma de vida o comportamiento, como se observa en el ornitorrinco en Australia o el kakapu en Nueva Zelanda. Las especies clave, como los lobos, jaguares, elefantes y castores, desempeñan un papel decisivo en el funcionamiento general de los ecosistemas. El hábitat natural es el lugar o tipo de espacio en donde está presente una especie o población. Ejemplo de ello es un tipo específico de humedal. Finalmente, la conservación in-situ implica la conservación de hábitats naturales y poblaciones viables de especies en su ambiente natural, contrario a la conservación ex-situ, que se lleva a cabo en jardines botánicos o zoológicos.

Los sitios del criterio (x) pueden ser ambientes terrestres, dulceacuícolas, costeros o marinos. Normalmente incluyen a la mayoría de sitios naturales más irremplazables de entre estos ambientes, y son particularmente ricos en especies endémicas globalmente amenazadas, o especies en general. Muchos de estos sitios presentan especies emblemáticas como el panda gigante o al gorila, a quienes nosotros los humanos hemos adoptado como parte importante de nuestro patrimonio global natural.

Muchos de los más grandes santuarios de vida silvestre están listados bajo el criterio (x), como es el caso del Parque Nacional Canaima en Venezuela, del Parque Nacional de Manú en Perú, del Parque de Kinabalu en Malasia, del Parque Nacional de Lorentz en Indonesia y del Parque Nacional de Virunga en la República Democrática del Congo. Además, existen muchos sitios en serie que son espléndidos, cada uno compuesto por áreas protegidas para la conservación de múltiples componentes. Ejemplos de ellos son: los Trópicos Húmedos de Queensland en Australia; el Bosque Atlántico – Reserva del Sudeste en Brasil; las Áreas Protegidas de los Tres Ríos Paralelos en el Yunnan, de China; los Ghats Occidentales en la India; las Islas y Áreas Protegidas del Golfo de California, en México; los Bosques Lluviosos de Atsinanana en Madagascar, y las Zonas Protegidas de la Región Floral de El Cabo, en Sudáfrica.

El texto del criterio (x), que hasta 2005 se le conocía como el criterio natural (iv), ha sido particularmente estable desde los primeros días de la Convención. El contenido original de 1977 ya hacía mención a los "hábitats en los que aún subsisten poblaciones de especies raras de plantas y animales en peligro de extinción" y no hacía particular

qualify for World Heritage listing. The reference to ecosystems, on the other hand, was dropped from this criterion.

The current wording, adopted in 1994, introduced the relatively recent concepts of in-situ conservation and biological diversity. The former addition further stressed the criterion's focus on conservation of species within their natural surroundings, while the latter somewhat broadened the focus from threatened species only to biodiversity more generally. That said, the main focus of criterion (x) on the most critical habitats for species has remained unchanged since 1977.

The Convention's Operational Guidelines emphasize that criterion (x) sites need to be of a sufficient size and whole enough to ensure the survival of viable populations of threatened, endemic, and other focal species in their most critical habitats. In the current context of rapid global climate change, one of the challenges in this regard is to "climate proof" sites to the extent possible, for example through expansion, expanded buffer zones, and enhanced connectivity, so that they can still maintain these biodiversity values. The Operational Guidelines also stress that only the most biologically diverse and/or representative sites within a given biogeographic context are likely to meet criterion (x) (see page 38 for the wording of the corresponding condition of integrity).

As described in the previous chapter, IUCN and UNEP-WCMC carry out a comprehensive analysis for criteria (ix) and (x) to assess the biodiversity values of a site and to compare these to other sites. The analysis for criterion (x) seeks to clarify, with the help of appropriate indicators and datasets, if the nominated site is really globally outstanding with regard to its species and habitat values. IUCN's evaluation of criterion (x) considers, above all, the irreplaceability of a nominated site from the perspective of species conservation. In other words, how indispensable is a site for the in-situ conservation of globally significant species? Spatial analyses of the IUCN Red List of Threatened Species, the World Database on Protected Areas, and relevant conservation prioritization approaches help to clarify if the site is a conservation priority for globally threatened or endemic species, or species in general. This includes consideration of the results of a recent analysis of the irreplaceability of all the world's protected areas for the conservation of mammal, bird, and amphibian species.

Particularly useful for the evaluation of criterion (x) are also site-based prioritization approaches such as Key Biodiversity Areas (KBAs) that were specifically developed to identify important sites for the in-situ

referencia a los ecosistemas con concentraciones de plantas y animales de importancia e interés universal. En 1980, el criterio se alineó más al Artículo 2 de la Convención que específicamente hace referencia a los "hábitats naturales más importantes y significativos en los que especies amenazadas de animales y plantas de Valor Universal Excepcional . . . aún sobreviven". Estos cambios dieron claridad al enfoque del criterio sobre hábitat natural, en oposición al construido por el hombre, y lo restringió sólo a los hábitats y a las especies más significativas. Lo anterior hace énfasis en que no todos los hábitats con especies amenazadas calificarían para el listado del Patrimonio Mundial. Por otro lado, en el criterio se abandonó la referencia a los ecosistemas.

El texto actual, adoptado en 1994, introdujo los conceptos relativamente recientes de conservación in-situ, y biodiversidad. La adición anterior puso en relieve el enfoque del criterio en la conservación de especies dentro de sus ambientes naturales, mientras que el anterior texto de alguna manera ampliaba el enfoque de especies amenazadas sólo en términos generales de biodiversidad. Dicho lo anterior, el interés central del criterio (x) en los hábitats críticos para las especies ha permanecido sin cambios desde 1977.

Las Directrices Operativas para la aplicación de la Convención del Patrimonio Mundial enfatizan que los sitios del criterio (x) requieren de tamaño e integridad suficientes para asegurar la supervivencia de poblaciones viables de especies endémicas en peligro de extinción y de otras especies de interés en sus hábitats más críticos. En el actual contexto de rápido cambio climático global, uno de los principales retos consiste en resguardar sitios, en la medida de lo posible, "a prueba del clima", por ejemplo, mediante la expansión o extensión de zonas de amortiguamiento y mediante el mejoramiento de la conectividad, de tal manera que los sitios puedan conservar los valores de biodiversidad. Las Directrices Operativas también enfatizan que solamente los sitios más representativos y/o más diversos biológicamente dentro de un contexto biogeográfico, serán más propensos a cumplir con el criterio (x) (ver el texto sobre la condición de integridad en la página 38).

Como se describe en el capítulo anterior, la UICN y la PNUMA-WCMC realizan un análisis completo de los criterios (ix) y (x) para estimar los valores de la biodiversidad de un sitio y para compararlos con los de otros sitios. Los análisis del criterio (x) buscan clarificar, con la ayuda de indicadores y bases de datos apropiados, si un sitio nominado es en realidad, sobresaliente a nivel mundial con respecto a

Criterion (x) and the Operational Guidelines

Properties proposed under criterion (x) should be the most important properties for the conservation of biological diversity. Only those properties, which are the most biologically diverse and/or representative are likely to meet this criterion. The properties should contain habitats for maintaining the most diverse fauna and flora characteristic of the biogeographic province and ecosystems under consideration. For example, a tropical savannah would meet the conditions of integrity if it includes a complete assemblage of co-evolved herbivores and plants; an island ecosystem should include habitats for maintaining endemic biota; a property containing wide-ranging species should be large enough to include the most critical habitats essential to ensure the survival of viable populations of those species; an area containing migratory species, seasonal breeding and nesting sites, and migratory routes, wherever they are located, should be adequately protected.

Criterio (x) y las Directrices Operativas

Los bienes propuestos bajo el criterio (x) deberían ser los más importantes para la conservación de la diversidad biológica. Sólo los sitios con mayor diversidad biológica y/o representatividad podrán aspirar a cumplir con este criterio. Los sitios deberían contener hábitats para mantener la mayor diversidad de flora y fauna características de la provincia biogeográfica y de los ecosistemas considerados. Por ejemplo, una sabana tropical cumplirá con las condiciones de integridad si ésta incluye el ensamblaje co-evolutivo completo de herbívoros y plantas. Un ecosistema insular debería incluir hábitats específicos para mantener la biota endémica. Un sitio que presenta una amplia gama de especies debe ser lo suficientemente grande para incluir los hábitats críticos, esenciales para garantizar la supervivencia de poblaciones viables de estas especies; en el caso de áreas con especies migratorias, se deberían proteger adecuadamente los sitios estacionales de apareamiento y de anidamiento, así como las rutas migratorias en donde sea que éstas se localicen.

Islands and Protected Areas of the Gulf of California |
Islas y Áreas Protegidas del Golfo de California
Mexico | México
CLAUDIO CONTRERAS KOOB

conservation of species of conservation concern. KBAs are identified, based on globally standardized criteria, as sites with "significant populations of globally threatened, restricted range, congregatory or bioregionally restricted species." KBAs include, for example, the 587 Alliance for Zero Extinction sites (AZEs) that are the last-known places where highly threatened species survive. KBAs also include Important Bird Areas (IBAs), Important Plant Areas (IPAs) and, in the marine environment, so-called Ecologically or Biologically Significant Areas (EBSAs). IUCN is currently leading a process to consolidate the different KBA criteria and thresholds into a new KBA standard, which will also facilitate the identification of potential candidate sites under criterion (x). But most of the more than 10,000 KBAs identified so far are not likely to ever qualify for World Heritage listing.

Criterion (x) has been used for 139 (61 percent) of the 228 natural and mixed sites on the World Heritage List. Fifteen sites are inscribed only under this criterion and no other criterion. These include species-focused wildlife sanctuaries, such as the Sichuan Giant Panda Sanctuaries in China, the Okapi Wildlife Reserve in the Democratic Republic of the Congo, and the Whale Sanctuary of El Vizcaino in Mexico. Criterion (x) has been used most frequently—in 92 sites—in conjunction with criterion (ix), the other biodiversity criterion, followed by criterion (vii) in 75 sites, and criterion (viii) in 33 sites. Fifteen of the criterion (x) sites are also mixed sites, inscribed under one or more cultural criteria.

The total area of the 139 sites with criterion (x) is 200 million hectares, or 73 percent of the total area of all natural and mixed sites. This total area is equivalent to the land area of Mexico. The largest criterion (x) site is Papahānaumokuākea, a marine site in Hawaii, comprising 36 million hectares, and the smallest one is Vallée de Mai Nature Reserve on the Seychelles at 20 hectares. On average, criterion (x) sites are not as large as criterion (ix) sites but are still sizeable protected areas.

The criterion (x) sites represent a wide range of habitat types and conserve floras and faunas on all continents except Antarctica, where the Convention does not apply. They comprise 39 sites with marine areas, including several very large marine protected areas in the Pacific, and 51 sites that overlap with the world's remaining intact forest landscapes. Considering some well-known global conservation prioritization schemes, criterion (x) sites represent 29 (83 percent) of the world's 35 terrestrial biodiversity hotspots, all of its 5 high-

los valores de sus especies y hábitats. La valoración que la UICN hace del criterio (x) considera por encima de todo, el carácter irreemplazable de un sitio nominado desde la perspectiva de la conservación de las especies. En otras palabras, ¿cuán indispensable es un sitio en relación a la conservación in-situ de especies de importancia global? El análisis espacial que hace la UICN en la Lista Roja de Especies Amenazadas, así como en la Base de Datos Mundial sobre Áreas Protegidas y los enfoques de priorización de conservación relevante, son auxiliares para aclarar si el sitio propuesto es prioritario para la conservación de especies endémicas o amenazadas globalmente, o si se trata de especies en general. Esto incluye considerar los resultados de un análisis reciente sobre el carácter irreemplazable de todas las áreas protegidas del mundo para la conservación de especies de mamíferos, aves y anfibios.

Los enfoques de priorización de sitios son particularmente útiles para la evaluación del criterio (x), como es el caso de las Áreas Claves de Biodiversidad (KBAs por sus siglas en inglés), que fueron desarrolladas específicamente para identificar sitios importantes para la conservación in-situ de especies cuya subsistencia es preocupante. La identificación de las KBAs se hace utilizando criterios globales estandarizados para sitios con "poblaciones importantes de especies globalmente amenazadas, con distribución restringida, en congregaciones o confinadas a biorregiones". Las KBAs comprenden, por ejemplo, a los 587 sitios de la Alianza para la Extinción Cero (AEC) que son los últimos sitios donde se sabe que todavía sobreviven especies altamente amenazadas de extinción. Las KBA también abarcan las Áreas Importantes para las Aves (AIAs), las Áreas Importantes para las Plantas (AIPs) y, en el medio marino, las llamadas Áreas Ecológica o Biológicamente Importantes (AEBIs). La UICN actualmente conduce el proceso de consolidación de los diferentes criterios de la ABCs hacia un nuevo esquema que también facilitará la identificación de sitios potenciales como candidatos bajo el criterio (x), aunque los más de 10,000 ABC identificadas hasta ahora no tengan posibilidades de calificar nunca a los listados del Patrimonio Mundial.

El criterio (x) ha sido utilizado en 139 (61 por ciento) de los 228 sitios naturales y mixtos de la Lista del Patrimonio Mundial. Bajo este criterio están inscritos exclusivamente quince sitios. Entre ellos están los santuarios de vida salvaje, como el Santuarios del Panda Gigante de Sichuan en China, la Reserva de Fauna de Okapis en la República Democrática del Congo y el Santuario de Ballenas de El Vizcaíno, en

biodiversity wilderness areas, 14 of its 19 other large wilderness areas, and 151 (63 percent) of the world's 238 priority ecoregions.

The vast majority of criterion (x) sites encompass Key Biodiversity Areas and many are logically among the world's most important protected areas for species conservation. The wildlife sanctuaries listed under this criterion provide critical refuge for a large number of the world's most iconic species such as the great apes, lions, tigers, elephants, hippos, rhinos, sharks, and whales.

A recent IUCN gap analysis for terrestrial environments identified a number of potential candidate sites that may merit inscription under criterion (x), thanks to their outstanding species values. These candidate sites include the world's most irreplaceable protected areas for the conservation of mammals, birds, and amphibians. Their irreplaceability was calculated by combining the IUCN Red List of Threatened Species and the World Database on Protected Areas to determine the degree of global dependence of species on each site. Since many of the top ranking protected areas are already listed under criterion (x), this measure was considered a good indicator to identify further candidate sites. In addition, the IUCN analysis also identified candidate sites from the most important Alliance for Zero Extinction sites.

Notable concentrations of terrestrial candidate sites can be found in biodiverse countries such as Brazil, Colombia, Indonesia, Mexico, Peru, Tanzania, and Venezuela. The identified candidate sites include, for example, the national parks of Mount Cameroon in Cameroon, Sierra Nevada de Santa Marta in Colombia, Bale Mountains in Ethiopia, Siberut Island in Indonesia, and Henri Pittier in Venezuela, plus the Eastern Arc mountain forest protected areas in Tanzania. Most candidate sites fall within the seventeen so-called megadiversity countries. The IUCN analysis also noted that several natural World Heritage Sites, such as Kilimanjaro National Park in Tanzania and Huascarán National Park in Peru, have globally significant species values but are not yet listed under criterion (x). Last, critical sites for species conservation within the broad gaps identified for criterion (ix) in the previous chapter, including several biodiversity hotspots and Global 200 priority ecoregions, may also warrant consideration under criterion (x).

The corresponding IUCN gap analysis for marine environments discussed potential approaches that could be used to identify marine candidate sites; however, given the limitations of currently available global data on marine species and habitats, the analysis did not attempt to identify specific candidate sites globally, and instead recommended

México. El criterio (x) se ha utilizado con mucha frecuencia junto con el criterio (ix)—en 92 sitios—, el cual constituye el otro criterio sobre biodiversidad, seguido por el criterio (vii) en 75 sitios y por el criterio (viii) en 33 sitios. Quince de los sitios del criterio (x) son a su vez sitios mixtos, inscritos bajo uno o más criterios culturales.

Los 139 sitios del criterio (x) suman un total de 200 millones de hectáreas, o el 73 por ciento de toda el área que comprende todos los sitios naturales y mixtos. Esta superficie es equivalente al territorio de México. El sitio de mayor extensión bajo el criterio (x) es Papahānaumokuākea, un sitio marino en Hawaí, el cual incluye 36 millones de hectáreas; mientras que el sitio más pequeño es la Reserva Natural del Valle de Mai de las Seychelles, con 20 hectáreas. En general los sitios del criterio (x) no son tan grandes como las del criterio (ix), aun así son áreas protegidas de gran tamaño.

Los sitios del criterio (x) representan una amplia gama de tipos de hábitat conservando flora y fauna en todos los continentes, excepto en la Antártida, donde la Convención no tiene aplicación. Se incluyen 39 sitios con áreas marinas, algunas de ellas son áreas protegidas de gran extensión en el Pacífico y 51 sitios que se traslapan con los paisajes boscosos intactos que aún perduran en el mundo. Tomando en consideración algunos de los conocidos esquemas de priorización para la conservación global, los sitios del criterio (x) comprenden 29 (83 por ciento) de los 35 hotspots de biodiversidad terrestres, además de las 5 áreas de alta biodiversidad silvestre, 14 de las 19 más grandes áreas silvestres y 151 (63 por ciento) de las ecorregiones prioritarias del mundo.

La mayor parte de los sitios del criterio (x) comprenden Áreas Claves de Biodiversidad y muchas se encuentran, lógicamente, entre las áreas protegidas más importantes del mundo para la conservación de especies. Los santuarios de vida silvestre enlistados bajo este criterio proporcionan refugio crítico a un gran número de especies emblemáticas del mundo, como son los grandes simios, los leones, los tigres, los elefantes, los hipopótamos, los rinocerontes, los tiburones y las ballenas.

Un reciente análisis de las carencias existentes en los ambientes terrestres identificó a una gran cantidad de sitios con suficiente mérito y con carácter potencial para ser candidatos a inscribirse bajo el criterio (x), gracias al sobresaliente valor de sus especies. En estos sitios se incluye al área protegida con mayor carácter de irreemplazable para la conservación de mamíferos, aves y anfibios en el mundo. Su calidad

regional assessments to pinpoint potential sites. Such a regional study has already been conducted for the Western Indian Ocean and identified several candidate sites, including in the Mozambique Channel, for criterion (x).

BASTIAN BERTZKY, GUY DEBONNET, CYRIL F. KORMOS, RUSSELL A. MITTERMEIER, PETER SHADIE, and JIM THORSELL

Ailuropoda melanoleuca | Giant panda | Panda gigante
Sichuan Giant Panda Sanctuaries – Wolong, Mt. Siguniang and Jiajin Mountains |
Santuarios del Panda Gigante de Sichuan – Montes Wolong, Siguniang y Jiajin
China

JEAN-PAUL FERRERO/ARDEA.COM

de irreemplazable fue estimada combinando la Lista Roja de Especies Amenazadas de la UICN y la Base de Datos Mundial sobre Áreas Protegidas para determinar el grado de dependencia global de las especies en cada sitio. Debido a que muchas de las áreas protegidas de mayor rango ya están enlistadas bajo el criterio (x), esta medida se consideró como un buen indicador para identificar a sitios como futuros candidatos. Además, el análisis de la UICN también identificó a sitios candidatos de entre los sitios más importantes de la Alianza para la Extinción Cero.

Las concentraciones prominentes de sitios terrestres candidatos se pueden localizar en países con biodiversidad, como Brasil, Colombia, Indonesia, México, Perú, Tanzania y Venezuela. Entre éstos se incluyen, por ejemplo, el Parque Nacional de Monte Camerún, en Camerún; la Sierra Nevada de Santa Marta en Colombia, las Montañas Bale en Etiopía, las Islas Siberut de Indonesia y el Parque Nacional Henri Pittier en Venezuela, además del área protegida de la montaña del Arco Oriental en Tanzania. La mayoría de los sitios candidatos se consideran dentro de los países dados en llamar "megadiversos". El análisis de la UICN también encontró que varios sitios naturales del Patrimonio Mundial, como el Parque Nacional del Kilimanjaro en Tanzania y el Parque Nacional Huascarán en Perú, tienen especies de valor con importancia global, pero aún no están enlistados bajo el criterio (x). Finalmente, también merecen ser consideradas bajo el criterio (x) aquellos sitios críticos para la conservación de las especies que fueron reconocidos como parte de las carencias generales identificadas para el criterio (ix) y citadas en el capítulo anterior, incluyendo varios hotspots de biodiversidad y algunas de las 200 Ecorregiones Globales.

El análisis de necesidades de la UICN para ambientes marinos brindó argumentación sobre aproximaciones viables que podrían ser utilizadas en la identificación de sitios marinos candidatos, sin embargo, dadas las limitaciones de la información global disponible acerca de las especies marinas y sus hábitats, el análisis no intentó siquiera la identificación de sitios candidatos a nivel global, y, en su lugar, recomendó evaluaciones regionales para localizar sitios potenciales. Este estudio regional ya ha sido llevado a cabo en el Océano Índico Occidental en donde se identificaron sitios candidatos entre los que se incluye al Canal de Mozambique bajo el criterio (x).

BASTIAN BERTZKY, GUY DEBONNET, CYRIL F. KORMOS, RUSSELL A. MITTERMEIER, PETER SHADIE y JIM THORSELL

6

The List of World Heritage in Danger
La Lista del Patrimonio Mundial en Peligro

The World Heritage Convention is often misunderstood as a kind of beauty contest, where the prize is the inscription of a site on the World Heritage List. However, the main goal of the Convention is not inscription, but rather the "protection, conservation . . . and transmission to future generations of cultural and natural heritage of Outstanding Universal Value." The List is a mechanism to achieve this objective: By inscribing the most outstanding places on the planet, countries take on a solemn commitment to protect their sites and to support the protection of sites in other countries.

Ensuring that World Heritage Sites are achieving their conservation objectives is a significant undertaking, especially at a time when threats to World Heritage Sites are increasing. The Convention has developed a number of tools to allow the World Heritage Committee to monitor sites. The process most often used is called Reactive Monitoring, which requires countries to report to the Committee on the state of their World Heritage Sites and on progress toward improved management of sites, when requested by the Committee. If the level of threat to a site is particularly significant, the Committee has a further tool at its disposal: the inscription of the site on the List of World Heritage in Danger (Danger List). Currently the Danger List includes a total of forty-six natural and cultural sites.

The Danger List is intended as a tool to achieve conservation gain in the face of adversity. Its ultimate goal is to avoid the loss or degradation of Outstanding Universal Value, and in cases where Outstanding Universal Value has already been damaged, to identify actions required to restore it. It is not intended to be a punishment for a country's inability to achieve conservation objectives, but rather as a

A menudo se confunde a la Convención del Patrimonio Mundial, con un concurso de belleza en el que el premio es la inscripción de un sitio en la Lista del Patrimonio Mundial. Sin embargo, el objetivo principal de la Convención no es la inscripción, sino la "protección, conservación . . . y transmisión del patrimonio natural y cultural de Valor Universal Excepcional para las futuras generaciones". La Lista es un mecanismo para lograr este objetivo: Al inscribir los lugares más sobresalientes en el planeta, los países se comprometen firmemente a proteger sus sitios y a apoyar la protección de sitios en otros países.

Poder asegurar que los Sitios del Patrimonio Mundial estén logrando sus objetivos de conservación implica una empresa trascendental, especialmente cuando las amenazas a los Sitios del Patrimonio Mundial van en aumento. La Convención ha desarrollado una buena cantidad de herramientas que le permiten al Comité del Patrimonio Mundial monitorear los sitios. El proceso utilizado más a menudo se llama Monitoreo Reactivo. En éste, el Comité le solicita al país que reporte el estado que guardan sus Sitios del Patrimonio Mundial y el progreso en el mejoramiento de la gestión. Si el nivel de los riesgos que amenazan a un sitio es particularmente significativo, el comité tiene un instrumento a su disposición: la inscripción del sitio en la Lista del Patrimonio Mundial en Peligro (la "Lista en Peligro"). Actualmente la Lista en Peligro incluye a un total de 46 sitios naturales y culturales.

La Lista en Peligro, como herramienta, busca un beneficio en materia de conservación ante las adversidades. Su objetivo último es prevenir la pérdida o degradación de un Valor Universal Excepcional, y en los casos en los que el Valor Universal Excepcional haya sido

Pan paniscus | Bonobo | Chimpancé pigmeo
Salonga National Park | Parque Nacional Salonga
Democratic Republic of the Congo | República Democrática del Congo
CHRISTIAN ZIEGLER

message of concern and a call on all States Parties to the Convention to provide technical and/or financial support to address the threat and remove the danger.

There are many examples of how the Danger List has been successfully used to achieve greater support for conservation. In the case of the Everglades National Park, inscription on the Danger List helped the United States National Park Service raise awareness about the Everglades' dire condition, which helped generate federal funding for an ambitious ecosystem restoration program. Placing the Selous Game Reserve in Tanzania on the Danger List because of the dramatic decline of elephants has triggered governmental action in the form of a national anti-poaching strategy and has also helped secure funding from the donor community in support of conservation activities.

Danger Listing can also be a powerful political instrument. By inscribing all five natural sites in the Democratic Republic of the Congo on the Danger List, it was possible to raise awareness among the fighting factions in that country about the need to protect these sites. At the same time, the listing resulted in considerable international cooperation to aid the sites' conservation during civil strife. In the case of Timbuktu, Mali, the site was inscribed on the Danger List following the destruction of several mausoleums by armed groups. As a result, protection of cultural heritage was for the first time specifically included in the mandate of the UN peacekeeping forces.

Unfortunately, too many countries perceive the Danger List as a punishment and fear that inscription would damage their image, discourage conservation efforts, and result in a loss of revenue from tourism. Such concerns can motivate some countries to take positive actions to avoid Danger Listing. For example, the World Heritage Committee considered inscribing Lake Baikal in the Russian Federation on the Danger List because of a planned oil pipeline close to the lake, but following a decision by President Vladimir V. Putin, the pipeline was rerouted several hundred kilometers further north. However, the prospect of Danger Listing can drive other countries to political lobbying to avoid the listing, instead of addressing the threat or management issue. There are many examples where such maneuvering has played a role in the Committee's decision not to follow the recommendation of the World Heritage Centre and the Advisory Bodies for inscribing a site on the Danger List. There have even been cases where the Committee acknowledged that the conditions for Danger Listing were met, but nonetheless decided not to go forward with the inscription.

dañado, busca identificar las acciones necesarias para su restauración. No se busca castigar la incapacidad de un país para lograr los objetivos de conservación, sino más bien, enviar un mensaje de preocupación y una petición a todos los Países Miembros de la Convención para que provean el apoyo técnico y/o financiero que pueda hacer frente al riesgo y eliminarlo.

Existen muchos ejemplos de cómo la Lista en Peligro ha sido utilizada con éxito para obtener mayores apoyos para la conservación. En el caso del Parque Nacional de Everglades, la inscripción en la Lista en Peligro ayudó al Servicio de Parques Nacionales de los Estados Unidos a advertir sobre las condiciones lamentables de los Everglades, favoreciendo así la obtención de fondos federales para un ambicioso programa de restauración del ecosistema. Haber puesto a la Reserva de Caza de Selous en Tanzania en la Lista en Peligro debido a la dramática disminución de elefantes, ha traído como consecuencia acciones gubernamentales expresadas como estrategias nacionales contra la cacería furtiva, así como ha ayudado en la obtención de fondos de la comunidad de donantes en apoyo a actividades de conservación.

La Lista en Peligro puede ser, a la vez, un poderoso instrumento político. Mediante la inscripción de los cinco sitios naturales de la República Democrática del Congo en la Lista en Peligro, se logró sensibilizar a las facciones en conflicto en ese país, sobre la necesidad de proteger esos sitios. Simultáneamente, la lista trajo una considerable cooperación internacional en apoyo a la conservación de los sitios durante la conflagración civil. En el caso de Timbuktú en Mali, el sitio fue inscrito en la Lista en Peligro tras la destrucción de varios mausoleos por grupos armados. Como resultado se obtuvo, por primera vez, la inclusión de la protección del patrimonio cultural en el mandato de las fuerzas de paz de las Naciones Unidas.

Lamentablemente, muchos países perciben a la Lista en Peligro como una sanción y temen que la inscripción dañe su imagen desalentando los esfuerzos de conservación, resultando en una pérdida de ingresos por parte del turismo. Estas preocupaciones pueden motivar que algunos países tomen acciones positivas para evitar la Lista en Peligro. Por ejemplo, el Comité del Patrimonio Mundial puso en consideración la inscripción en la Lista en Peligro, del Lago Baikal en la Federación de Rusia, debido a la existencia de un proyecto para tender un oleoducto cerca del lago, pero luego siguió la decisión del presidente Vladimir Putin de desviarlo varios cientos de kilómetros hacia el norte. No obstante, la perspectiva de estar en la Lista en Peligro

Fortunately, many countries recognize the potential of the Danger List as a way to generate more conservation support at the national and international levels. Recent cases include Colombia, which requested the Danger Listing of Los Katíos, Ecuador, in the case of Galápagos, and Tanzania, in the case of Selous. The United States twice requested the inscription of the Everglades on the Danger List.

While there are examples of countries requesting the addition of a site to the Danger List, usually the Committee's decision follows the recommendation of the Advisory Bodies and the World Heritage Centre, which is based on a field mission's findings. Consent from the country concerned is not required, although some States Parties disagree on that point. However, Danger Listing has proven more effective when the country concerned recognizes the need to address the threat to the site.

The Operational Guidelines specify that a site may be inscribed on the Danger List if it is "threatened by serious and specific danger" and "major operations are necessary" for its conservation. Danger may either be ascertained or potential. Potential danger often refers to an activity that might pose a threat if implemented, such as the planned oil pipeline near Lake Baikal. The case of ascertained danger is more complicated, as the values of the site have already been degraded, and even if the immediate threat is addressed, restoration might take time. For example, in the Selous Game Reserve in Tanzania, the elephant population will need many years to recover once poaching is brought under control.

Danger Listing should trigger action to address the conservation challenges that threaten the values of a particular site. To this end, when the Committee inscribes a site on the Danger List, it also adopts a number of Corrective Measures, which a country needs to implement to address the threats to the site. For example, if a serious decline in the population of an endangered species led to the inscription of a site on the Danger List, Corrective Measures would likely include removing the threat that has caused the decline, as well as implementing a restoration or reintroduction project to reestablish a viable population. Corrective Measures need to be updated for efficiency and efficacy as long as the site remains on the Danger List.

Over the years, the Committee has had heated debates about when a site should be removed from the Danger List. At times, countries have pushed for their site's removal after minimal progress on the implementation of Corrective Measures. In other cases, countries

puede llevar a algunos países a cabildear para evitarlo, en lugar de corregir las amenazas o mejorar la gestión. Existen muchos ejemplos en los que este tipo de maniobras han jugado un papel importante en las decisiones del Comité, al no seguir las recomendaciones del Centro del Patrimonio Mundial y de los órganos consultivos para inscribir un sitio en la Lista en Peligro. Han existido casos en los que el Comité ha reconocido que las condiciones para ser enlistado están presentes, sin embargo han decidido no hacerlo. Por fortuna, muchos países reconocen el potencial que tiene la Lista en Peligro para la obtención de apoyos para la conservación a nivel nacional e internacional. De entre los casos recientes se incluye a Colombia, que solicitó la inclusión en la Lista en Peligro de Los Katíos a Ecuador, en el caso de las Galápagos, y a Tanzania en el caso de Selous. Y los Estados Unidos, en dos ocasiones, solicitaron la inscripción de los Everglades en la Lista en Peligro.

Mientras existen ejemplos de países que solicitan la inclusión de un sitio en la Lista en Peligro, normalmente la decisión del Comité es consecuencia de la recomendación de los Órganos Consultivos y del Centro del Patrimonio Mundial, misma que se sustenta en los hallazgos durante las misiones de campo. Para esto no se requiere el consentimiento del país de que se trate, aunque algunos Estados Parte no están de acuerdo en este respecto. A pesar de lo anterior, la Lista en Peligro ha probado ser muy efectiva cuando el país en cuestión reconoce la necesidad de ocuparse de los riesgos que encara el sitio.

Las Directrices Prácticas especifican que un sitio debe formar parte de la Lista en Peligro cuando un bien está siendo "amenazado por peligros graves y concretos" y "se necesitan obras importantes" para su conservación. El peligro puede ser real o potencial. Un peligro potencial refiere con frecuencia a una actividad que pudiese representar un peligro si se llevase a cabo, como en el caso del oleoducto cercano al lago Baikal. El caso de un peligro real es más complicado pues los valores del sitio pudiesen haber sido degradados y aunque se pudieran manejar los peligros inmediatos, la restauración puede tomar largo tiempo. Ejemplo de esto último es la Reserva de Caza de Selous, en Tanzania, donde a la población de elefantes le tomará muchos años recuperarse, una vez que se llegue a controlar la caza furtiva.

La Lista en Peligro debiera desencadenar acciones para confrontar los desafíos de conservación que amenazan los valores de un sitio en particular. Para ello, cuando el Comité inscribe a un sitio en la Lista en Peligro también adopta una serie de Medidas Correctivas que el país necesita implementar para enfrentar los retos del sitio. Por ejemplo,

have raised the question of whether Outstanding Universal Value had to be fully restored before removal could be considered. To address this question, a list of indicators, known as the "Desired state of conservation for the removal of the site from the List of World Heritage in Danger" should be established at the time a site is inscribed on the Danger List to establish when the site may be removed. These indicators should demonstrate that the threat which led to the site's inscription on the Danger List is adequately under control and that Outstanding Universal Value of the site is on a clear path to recovery. For example, if a decline in the population of an endangered species led to a site's inscription on the Danger List, a State Party would be expected to provide evidence that the population has recovered beyond a certain threshold and that recovery is likely to continue because the pressures that led to population decline have been removed.

The impact of civil war in the Democratic Republic of the Congo led to the inscription of the Okapi Wildlife Reserve on the Danger List. A desired state of conservation for the removal of the site from the Danger List was developed in 2009 to guide future discussions. Value indicators focus on the recovery of key wildlife populations and maintaining the forest cover in the reserve. Management and integrity indicators focus on addressing key threats such as poaching, artisanal mining, and population pressure, as well as patrol coverage and the implementation of an approved management plan.

A site may be removed from the Danger List once the indicators for removal have been achieved to the satisfaction of the Committee. Most often this will happen at a stage where the threats that led to Danger Listing have essentially been brought under control and any deteriorated Outstanding Universal Value is demonstrating a trend of recovery, rather than requiring the complete removal of threats and the full recovery of Outstanding Universal Value. It is therefore essential that the removal of a site from the Danger List is accompanied by appropriate follow-up by the Committee to ensure that the progress achieved is being sustained.

If for whatever reasons a danger cannot be removed in time to avoid the loss of a World Heritage Site's Outstanding Universal Value, the Committee may decide to delete a site from the World Heritage List. Only two sites have been delisted so far, one natural and one cultural. The first was the Arabian Oryx Sanctuary, which was delisted following a decision by Oman to reduce its size by 90 percent, causing the loss of the site's integrity and hence its Outstanding Universal

si un sitio fue inscrito en la Lista en Peligro debido a una drástica disminución de una población en peligro, es probable que las Medidas Correctivas sean la eliminación de los factores causantes del descenso, así como la implementación de proyectos de restauración o de reintroducción de una población viable. Mientras un sitio permanezca en la Lista en Peligro, es necesario actualizar las Medidas Correctivas para lograr la eficiencia y eficacia de las medidas.

Durante años, el Comité ha tenido acalorados debates sobre el momento adecuado en el que un sitio debe ser eliminado de la Lista en Peligro. En ocasiones, los países presionan para que sus sitios sean eliminados de la lista, tras haber obtenido progresos mínimos en la implementación de las Medidas Correctivas. En otros casos, los países han interpuesto el cuestionamiento sobre si el Valor Universal Excepcional debiera ser restaurado en su totalidad para que sea considerada su remoción de la lista. Para atender este asunto, al momento de enlistar un sitio en la Lista en Peligro se debe crear una lista de indicadores, conocidos como el "Estado deseable de conservación para la remoción de un sitio de la Lista del Patrimonio Mundial en Peligro", y así establecer cuándo un sitio debe ser removido. Los indicadores deben demostrar que la amenaza que llevó al sitio a su inscripción en la Lista en Peligro está adecuadamente bajo control y que el Valor Universal Excepcional del sitio se encuentra en una tendencia clara de recuperación. Por ejemplo, si la disminución de una población de una especie en peligro conlleva al sitio a su inscripción en la Lista en Peligro, se espera que el Estado Parte proporcione evidencia de que la población se ha recuperado más allá de cierto umbral, y que la recuperación se sostendrá debido a que se han eliminado las presiones que suscitaron la disminución.

Las consecuencias de la guerra civil en la República Democrática del Congo condujeron a la inscripción de la Reserva de Fauna de Okapis en la Lista en Peligro. En 2009 se elaboró el estado deseable de conservación del sitio para guiar las negociaciones y poder removerlo, en el futuro, de la Lista del Patrimonio Mundial en Peligro. Los indicadores de los valores se enfocaron en la recuperación de las especies silvestres clave y en la preservación de la cobertura boscosa de la reserva. Los indicadores de gestión e integridad se concentraron en el manejo de amenazas estratégicas como la cacería furtiva, la minería artesanal y la presión poblacional, así como en la cobertura del patrullaje y finalmente en la implementación de un plan de manejo aprobado.

Corrective Measures: Simien National Park

Simien National Park in Ethiopia was inscribed on the Danger List as a result of armed conflict, which led to a drastic reduction in the populations of key wildlife species, in particular the endemic Walia ibex and Ethiopian wolf. The 2006 monitoring mission concluded that most viable populations of these species were outside the boundaries of the park, while several villages and agricultural lands were included in the park. In addition, Simien National Park was severely affected by livestock grazing. The mission proposed Corrective Measures to redesign the boundaries of the park to include key wildlife habitat and exclude as many villages as possible, to develop a strategy on how to deal with the remaining villages, and to develop and implement a strategy to address grazing pressure. After long discussions with the communities, the new boundaries have been drawn and the park has been regazetted. People remaining in the park have expressed the wish to be resettled in the nearby urban center, and work is underway to manage the grazing.

Medidas Correctivas: Parque Nacional de Simien

El Parque Nacional de Simien en Etiopia fue inscrito en la Lista en Peligro como resultado del conflicto armado que condujo a una drástica disminución de las poblaciones de especies silvestres clave, en particular la cabra montesa endémica de Etiopia y el lobo etíope. La misión de monitoreo del 2006 llegó a la conclusión de que la mayoría de la población viable de estas especies se encuentra fuera de la delimitación del parque, mientras que varios poblados y tierras agrícolas se encuentran adentro. Más aún, el Parque Nacional de Simien ha sido seriamente afectado por el pastoreo. La misión propuso Medidas Correctivas para rediseñar las fronteras del parque y así poder incluir los hábitats clave y excluir tantos poblados como sea posible, además propuso llevar a cabo una estrategia para lidiar con los núcleos de población restantes y desarrollar e implementar otra para manejar la presión del pastoreo. Luego de largas discusiones con las comunidades, se trazaron y publicaron los nuevos linderos del parque. Las personas que permanecieron en el parque expresaron su deseo de ser reubicados en las cercanías del centro urbano, y ya se está trabajando en el manejo del pastoreo.

Corrective Measures: Rainforests of the Atsinanana

The Rainforests of the Atsinanana World Heritage Site is a serial site in Madagascar inscribed in 2007 and composed of six national parks. Located in the wet forest belt along the eastern side of the island, the site represents the region's unique biodiversity, which is characterized by extremely high levels of endemism.

In 2009, a coup ousted President Ravalomanana. In the ensuing political turmoil there was a "logging rush" on several of the site's national parks, notably Masoala and Marojejy, to illegally cut precious hardwood species. In particular, loggers were seeking rosewood, which is highly sought after for making high-end guitars and luxury furniture. The two parks were heavily impacted, both by the logging and the associated bushmeat hunting. As a result, the World Heritage Committee placed the site on the List of World Heritage in Danger in 2010.

The Committee approved Corrective Measures aimed at ending the illegal logging, including asking the State Party to address the issue of rosewood stockpiles and requesting the listing of Malagasy rosewood species under Appendix II of the Convention on International Trade in Endangered Species of Wild Fauna and Flora (CITES). At its 16th Conference of the Parties in 2013, CITES listed all Malagasy rosewood species under Appendix II and placed an embargo on rosewood exports, until it had approved the results of a stockpile audit and use plan to determine what component of rosewood stockpiles had been legally accumulated. The stockpile issue remains unresolved but the World Heritage Centre is working with CITES and the State Party to address it.

A new president was elected and took office in January 2014. President Hery Rajaonarimampianina expressed strong concern about the rosewood issue, requesting international assistance to help resolve it. At the World Parks Congress in Sydney in 2014, he committed to take steps to halt illegal trade in rosewood and other timber species and to deal with the illegal stockpiles. This has proven difficult and the site remains on the List of World Heritage in Danger, but there is optimism that the new government will resolve this complex issue.

Medidas Correctivas: Bosques lluviosos de Atsinanana

Los Bosques Lluviosos de Antisanana son un Sitio serial de Patrimonio Mundial en Madagascar, inscrito en 2007 y conformado por seis parques nacionales. Se localiza en la franja del bosque húmedo alrededor de la franja oriental de la isla. El sitio representa una región de biodiversidad única, que se caracteriza por sus elevados índices de endemismo.

En 2009 un golpe de estado derrocó al Presidente Ravalomanana. Tras los subsecuentes disturbios políticos se presentaron "talas fulminantes" en algunos de los parques, particularmente en Masoala y Marojejy, para cortar ilegalmente especies de maderas preciosas. Los taladores buscaron específicamente palisandro, que es muy preciado para la fabricación de guitarras de alta gama, y para la fabricación de muebles de lujo. Los dos parques fueron fuertemente afectados, tanto por la tala como por la caza furtiva de carnes silvestres. Como resultado de lo anterior, el Comité del Patrimonio Mundial puso al sito en 2010 en la Lista del Patrimonio Mundial en Peligro.

El Comité aprobó Medidas Correctivas tendientes a terminar con la tala, incluyendo una solicitud al Estado Parte de hacerse cargo del problema de las acopios de palisandros talados, y de enlistar la especie de palisandro malgache bajo el Apéndice II de la Convención sobre el Comercio Internacional de Especies Amenazadas de Fauna y Flora [. . .]Silvestres (CITES, por sus siglas en inglés). En la Conferencia de Miembros en 2013, CITES enlistó todas las especies de palisandro malgache bajo el Apéndice II y puso un embargo a las exportaciones de palisandro hasta haberse aprobado el resultado de la auditoría de los acopios, además de un plan de aprovechamiento para determinar cuáles habían sido allegados legalmente. El problema de los acopios permanece sin solucionarse, aunque para resolverlo, el Centro del Patrimonio Mundial está trabajando con CITES y el Estado Parte.

En Enero de 2014 un nuevo presidente fue electo y tomó posesión en el cargo. El Presidente Hery Rajaonarimampianina manifestó una profunda preocupación respecto al problema del palisandro y solicitó asistencia internacional para darle solución. Durante el Congreso Mundial de Parques en Sidney, en Septiembre de 2014, el Presidente se comprometió a tomar acciones necesarias para detener el comercio ilegal de palisandro y otras especies maderables y hacerse cargo de los acopios ilegales. Aunque existe optimismo de que el nuevo gobierno llegue a resolver este complejo problema, lo anterior ha probado ser un asunto difícil y el sitio permanece en la Lista del Patrimonio Mundial en Peligro.

Value. The second site was the Dresden Elbe Valley in Germany, which was delisted due to the construction of a four-lane bridge in the heart of the cultural landscape.

There is much evidence to show that the Danger List can indeed achieve its purpose as a conservation tool, especially with the support of concerned countries. Furthermore, we have seen that even the prospect of potential Danger Listing can result in better conservation outcomes. States Parties to the Convention should be encouraged to use this tool to its full potential as a means to ensure that the Convention achieves its primary goal of protecting and conserving the World's heritage, and transmitting it to future generations.

GUY DEBONNET and REMCO VAN MERM

El sitio puede ser removido de la Lista en Peligro una vez que los indicadores se hayan logrado a satisfacción del Comité. Más que exigir una completa remoción del peligro y una plena recuperación del Valor Universal Excepcional, lo anterior ocurre, la mayoría de las veces, en un momento en el que las amenazas que llevaron al sitio a pertenecer a la lista, están bajo control y que se ha demostrado una tendencia de recuperación de cualquiera de los Valores Universales Excepcionales que hayan sido deteriorados. Por tanto, para eliminar a un sitio de la Lista en Peligro es fundamental que se haga el seguimiento adecuado por parte del Comité y así poder garantizar el logro de progresos sostenidos.

Si se da el caso en que alguna amenaza, por cualquier razón, no pueda ser eliminada a tiempo para evitar la pérdida del Valor Universal Excepcional de un Sitio del Patrimonio Mundial, el Comité deberá decidir si suprime a ese sitio de la Lista del Patrimonio Mundial. Hasta ahora, sólo dos sitios han sido dados de baja: un sitio natural y uno cultural. El primero fue el Santuario del Oryx Árabe, tras la decisión del Omán de reducir su tamaño en un 90 por ciento, provocando la pérdida de la integridad del sitio y por tanto de su Valor Universal Excepcional. El segundo sitio fue el Valle del Elba en Dresden, Alemania, que fue dado de baja por la construcción de un puente de cuatro carriles, realizada en el corazón del paisaje cultural.

Existe vasta evidencia que demuestra que la Lista en Peligro puede, de hecho, alcanzar su propósito como un instrumento de conservación, especialmente con el apoyo de los países interesados. Asimismo, hemos observado que incluso la mera posibilidad de estar en la Lista en Peligro puede producir mejores resultados conservacionistas. Se debiera estimular a los Estados Parte de la Convención a utilizar dicha herramienta en todo su potencial, como medio para asegurar que la Convención logre su meta principal de proteger y conservar el patrimonio mundial allegándoselo a las futuras generaciones.

GUY DEBONNET y REMCO VAN MERM

7

The Future of the Convention

El Futuro de la Convención

Many of the world's most iconic places are protected—or at least better protected—thanks to the World Heritage Convention. In fact, many sites start benefiting from better protection from the moment they are nominated for World Heritage status, and well before they are added to the World Heritage List. For example, governments have on numerous occasions canceled exploratory permits for mining or oil and gas extraction that could impact a proposed World Heritage Site, or have expanded an existing park's boundaries, sometimes substantially, to strengthen a World Heritage nomination. Similarly, once a site is added to the List, it benefits from enhanced management, including drafting or improving management plans, adding and training new staff, or integrating the park more harmoniously into the broader landscape. World Heritage designation also strengthens the government's commitment to a site while simultaneously raising public awareness about the site and the Convention, and tourism often increases after a site is added to the List, generating added revenue. World Heritage status is therefore a strong catalyst for better protection and management. But precisely how successful has the Convention been in protecting the planet's unique natural and mixed cultural and natural heritage? Is the Convention truly achieving its mission of ensuring that World Heritage Sites are transferred to future generations in at least as good condition as when they were added to the List?

Until recently these have been difficult questions to answer. However, the IUCN World Parks Congress of 2014 provided an excellent opportunity to examine the Convention's effectiveness. It also provided the platform for constructive dialogue on the Convention's

Muchos de los lugares más emblemáticos del mundo están protegidos—o por lo menos mejor protegidos—gracias a la Convención del Patrimonio Mundial. De hecho, muchos sitios empiezan a recibir mejor protección desde el momento en que son nominados para el estatus de Patrimonio Mundial, e incluso, mucho antes de entrar en la Lista del Patrimonio Mundial. Por ejemplo, en numerosas ocasiones los gobiernos han cancelado permisos de exploración para extracción minera, petrolífera o de gas que pudieran afectar a un sitio propuesto, o bien han extendido, a veces sustancialmente, los linderos de cierto parque para fortalecer la propuesta de una nominación al Patrimonio Mundial. De igual manera, cuando un sitio es incluido en la Lista se ve beneficiado por mejoras a la gestión mediante la elaboración de planes de manejo, la inclusión y capacitación de nuevo personal o la integración de dicho parque en una forma más armónica con el paisaje. La designación de Patrimonio Mundial también fortalece el compromiso gubernamental y sensibiliza a la comunidad simultáneamente en torno al sitio y a la Convención, además, a menudo, el turismo se incrementa una vez que un sitio entra en la Lista, generando mayores ingresos. La condición de Patrimonio Mundial es, por tanto, un fuerte incentivo para mejorar la protección y la gestión. Pero, ¿cuán exitosa ha sido la Convención en la protección del patrimonio natural, cultural y mixto del planeta?, ¿Está en realidad logrando su misión de asegurar que los Sitios del Patrimonio Mundial lleguen a las futuras generaciones, al menos en iguales condiciones de cuando fueron añadidos a la Lista?

Hasta hace poco, estas preguntas habían sido difíciles de contestar. Sin embargo, el Congreso Mundial de Parques de la UICN en 2014

Athene noctua | Little owl | Búho pequeño
Doñana National Park | Parque Nacional de Doñana
Spain | España

AGE FOTOSTOCK/ALAMY

direction for the next decades. The results of these discussions, led by IUCN and UNESCO, are summarized below.

The World Heritage Committee uses five strategic objectives—the "5 Cs"—to guide its work in implementing the World Heritage Convention: credibility, conservation, capacity-building, communication, and communities. The 5 Cs aim to ensure that the Convention is: (1) working objectively and transparently to produce a World Heritage List that genuinely represents the most remarkable places on the planet; (2) conserving Outstanding Universal Value for future generations; (3) building capacity to protect Outstanding Universal Value; (4) communicating the importance of World Heritage; and (5) including communities in the work of the Convention and ensuring that the rights of communities are respected. The 5 Cs therefore provide a useful framework for taking stock of how well the Convention is doing, and for charting a course for future work to support the Convention's effectiveness.

To be credible, the World Heritage List must be selective and include only the planet's most extraordinary places that meet the stringent Outstanding Universal Value standard. This means that the List cannot be open-ended; eventually the majority of the sites around the world that meet the Convention's high standards will have been added to the List, and it will be nearly complete. That point has not yet been reached, but nonetheless, the List is very clearly progressing. The World Heritage estate has grown significantly, currently representing 8 percent of all protected areas, and many of the most important gaps in the List have been filled. New conservation science is making it possible to identify the remaining terrestrial and marine gaps, from which sites need to be added to achieve a fully representative List. These new tools give us a much better idea of the missing priority sites in terms of biodiversity, wilderness, spectacular natural features, cultural landscapes, and geodiversity.

The task at hand now is for the Convention's Advisory Bodies to work closely with States Parties in applying the latest scientific analyses to generate carefully targeted nominations that strengthen the List. As the Convention enters this important last phase, a concern that has arisen is that its decisions have, in recent years, diverged from the technical advice provided by its Advisory Bodies, including IUCN. This has undermined the credibility of the Convention and the List. It is essential that the Convention continue to be driven by objectivity and the highest-quality science and that it be free of political influence.

ofreció una excelente oportunidad para examinar la efectividad de la Convención y proporcionó la plataforma para el diálogo constructivo sobre la dirección de la Convención en las décadas por venir. Los resultados de esta discusión dirigida por la UICN y la UNESCO se resumen en este capítulo final.

El Comité del Patrimonio Mundial utiliza cinco objetivos estratégicos—las "5 Ces"—para orientar su trabajo de implementación de la Convención del Patrimonio Mundial: Credibilidad, Conservación, desarrollo de Capacidades, Comunicación y Comunidades. Las 5 Ces procuran asegurar que la Convención: (1) trabaje de manera transparente y objetiva para producir una Lista del Patrimonio Mundial que legítimamente represente a los lugares más notables del planeta; (2) conserve los Valores Excepcionales Universales para las futuras generaciones; (3) construya las capacidades para proteger los Valores Universales Excepcionales; (4) comunique la importancia del Patrimonio Universal; e (5) incluya a las comunidades en el trabajo de la Convención, asegurando que se respeten sus derechos. Por tanto, las 5 Ces constituyen un marco útil para lograr un balance sobre el desempeño de la Convención—y trazar la ruta del trabajo futuro, para apuntalar la efectividad de la Convención.

Para tener credibilidad, la Lista del Patrimonio Mundial debe ser selectiva y solamente incluir los lugares más extraordinarios del planeta que cumplan con los más rigurosos estándares de Valor Universal Excepcional. Esto significa que la Lista no puede ser ilimitada. Eventualmente, la mayoría de los sitios que cumplen con las altas exigencias de la Convención alrededor del mundo, habrán sido ya enlistados y, entonces, la lista estará casi completa. Aún no se ha llegado a ese punto, sin embargo, la Lista va progresando de manera palpable. Los bienes del Patrimonio han crecido significativamente y ahora representan el 8 por ciento de todas las áreas protegidas y muchos de los vacíos importantes de la Lista ya han sido cubiertos. Los avances de las ciencias de la conservación están haciendo posible identificar los vacíos terrestres y marinos que quedan, de donde se obtendrán sitios para que la lista alcance una representatividad plena. Estas nuevas herramientas nos proporcionan una idea más acabada de los sitios prioritarios faltantes en términos de biodiversidad, de su condición natural, de sus rasgos naturales excepcionales, de su paisajística cultural y de su geodiversidad.

La siguiente tarea para el Consejo Consultivo de la Convención es trabajar junto con los Estados Parte en la aplicación de los últimos

The most important aspect of the Convention is not the List itself, but rather the preservation of Outstanding Universal Value: each and every World Heritage Site should be a flagship protected area and a model of best-practice management, working to preserve Outstanding Universal Value. Monitoring and evaluating the conservation status of World Heritage Sites to assess whether Outstanding Universal Value is in fact being safeguarded successfully is essential. In the absence of a global monitoring system, however, this has been difficult to do, and the default mode for the Convention has been to focus attention mainly on sites facing serious threats or management challenges.

The launch of the IUCN World Heritage Outlook at the 2014 World Parks Congress, however, marked a significant step forward in our ability to assess the entire World Heritage estate and gauge the extent to which all sites are being well managed. The Outlook's 2014 comprehensive report is based on standardized, desk-based reviews conducted by leading, independent experts for all natural and mixed World Heritage Sites, and it assesses each site's prospects for maintaining Outstanding Universal Value into the future. It therefore provides a comprehensive overview of the entire World Heritage estate, including a summary of the actions needed to address management challenges and improve a site's outlook, while also providing a mechanism to recognize sites that are being well managed—an important function, as the Convention does not have a similar mechanism.

The 2014 Outlook produced results worth celebrating: About two-thirds of World Heritage Sites are well protected and have a positive conservation outlook. Unfortunately, the 2014 Outlook also confirmed findings by the World Heritage Committee that many World Heritage Sites are under serious threat, in many cases exacerbated by inadequate management capacity.

Threats include extractive industries and large-scale infrastructure, such as roads and large dams, whose serious impacts often make it difficult or impossible for States Parties to protect their sites. The dangers also include poaching, illegal wildlife trade, industrial logging, industrial agriculture, invasive species, and climate change. There has been some progress with regard to industrial activities affecting World Heritage Sites. The fact that oil and gas extraction and mining conflict with preserving Outstanding Universal Value has become increasingly understood. As a result, a number of commitments have been made by industry groups and individual companies recognizing World Heritage Sites as no-go areas for industrial extractive activities. World Heritage

análisis científicos para generar nominaciones cuidadosamente seleccionadas, tendientes a fortalecer la Lista. Mientras la Convención entra a esta importante fase, la preocupación que ha surgido es si, durante los últimos años, la Convención se ha desviado de las recomendaciones del Consejo Consultivo e incluso de la UICN. Lo anterior ha socavado la credibilidad de la Convención y de la Lista. Resulta, pues, esencial, que la Convención sea regida por la objetividad y por la ciencia más pura, libre de influencias políticas.

La faceta más importante de la Convención no es la Lista en sí misma, sino la preservación de los Valores Universales Excepcionales: cada uno de los Sitios del Patrimonio Mundial debe constituir un área protegida emblemática y un modelo de gestión basado en prácticas idóneas para la preservación del Valor Universal Excepcional. El monitoreo y la evaluación son esenciales para valorar si en realidad se está salvaguardando de manera exitosa, el Valor Universal Excepcional en los Sitios del Patrimonio Mundial. Sin duda esta tarea ha sido difícil de llevar a cabo en ausencia de un sistema de monitoreo global, por lo que la Convención enfocó su atención en los sitios que enfrentan amenazas o problemas relacionados con la gestión.

La aparición de la Perspectiva del Patrimonio Mundial de la UICN en el Congreso Mundial de Parques en 2014, marcó un avance significativo en nuestra capacidad para evaluar el estado en que se encuentran los bienes del Patrimonio Mundial y evaluar hasta dónde todos los sitios están siendo bien administrados. La Perspectiva del 2014 constituye un informe exhaustivo basado en una revisión de gabinete, estandarizada, de todos los Sitios del Patrimonio Mundial, ya sean naturales o mixtos, llevada a cabo por destacados expertos independientes, que evalúan las posibilidades de cada Sitio de salvaguardar el Valor Universal Excepcional. Por tanto, el informe nos proporciona una perspectiva completa del estado que guardan todos los bienes del Patrimonio Mundial, incluyendo un resumen de las acciones necesarias para enfrentar los retos de la gestión con miras a mejorar las perspectivas de los sitios, aportando también un mecanismo de reconocimiento de los sitios bien administrados—una función importante, pues la Convención carece de un mecanismo similar.

La Perspectiva del 2014 produjo resultados que merecen ser reconocidos: Alrededor de dos terceras partes de los Sitios del Patrimonio Mundial están bien salvaguardados y tienen una perspectiva positiva de conservación. No obstante lo anterior, desafortunadamente, la Perspectiva del 2014 confirmó los hallazgos

status has also served as a strong deterrent to some potentially damaging activities. For example, the International Council on Mining and Metals (ICMM) has adopted a no-go policy for World Heritage Sites and committed to avoid impacts from mining operations adjacent to World Heritage Sites. Several oil and gas companies, including Shell and Total, have also adopted no-go commitments for World Heritage Sites. In some cases, for example in Virunga National Park, cooperation has come in response to high-profile controversies over attempts to engage in extraction in World Heritage Sites. Additional important commitments have also been made in the finance sector, by such firms as J. P. Morgan and HSBC. Nevertheless, much more remains to be done to safeguard World Heritage Sites effectively from large-scale projects as well as from other critical threats, such as the growing impacts of the illegal wildlife trade, climate change, and invasive species. If we are to be true to the fundamental values of the World Heritage Convention, we must apply the highest possible standards in protecting all World Heritage Sites from threats, without exceptions. This objective also requires that management capacity is improved in many World Heritage Sites, and that the World Heritage Convention becomes better known to the entire international community.

Ensuring that all World Heritage Sites are being managed to the highest standards and preserve Outstanding Universal Value effectively is a shared responsibility of all of the Convention's States Parties. It is also a responsibility of civil society to help support the Convention and to contribute to the protection of World Heritage Sites. Many non-governmental organizations (NGOs) support sites by assisting with site management and through advocacy efforts, and there has been a recent increase in NGOs' involvement in the Convention's work. For example, civil society attendance at World Heritage Committee meetings is rising, and several regional and global NGO networks have emerged to support the Convention and its work in the last few years. Nonetheless, the scale of this engagement needs to grow. The future of the Convention will rely on much wider involvement of civil society, and also that of the indigenous peoples and local communities who often depend on World Heritage sites and can make vital contributions to their protection and management.

Many groups are deeply engaged in World Heritage communication, from the Convention's Secretariat, States Parties, and Advisory Bodies, to the tourism and media industries, to civil society organizations. Notable examples include UNESCO's World Heritage Education

del Comité del Patrimonio Mundial acerca de que muchos Sitios están siendo seriamente amenazados, y en muchos casos de manera agravada por la limitada capacidad de las administraciones.

Como parte de dichas amenazas están la industria extractiva y la mega infraestructura, como carreteras y presas, de cuyo impacto, a los Estados Partes, a menudo les resulta difícil, sino es que imposible, de proteger a los Sitios. Otros peligros son la cacería furtiva, el comercio ilegal de vida silvestre, la tala industrial, la agroindustria, las especies invasivas y el cambio climático. Pero han habido progresos en cuanto a las actividades industriales que afectan a los Sitios del Patrimonio Mundial. De hecho, la extracción de petróleo y gas, así como los conflictos que genera la minería están siendo entendidos de mejor manera respecto de su afectación a los Valores Universales Excepcionales. Como resultado, se han establecido un buen número de compromisos por parte de las compañías y de los grupos industriales, para reconocer a los Sitios del Patrimonio Mundial como áreas exentas de actividades extractivas industriales.

La condición de Patrimonio Mundial también ha tenido un efecto disuasivo para algunas actividades potencialmente destructivas. Por ejemplo, el Consejo Internacional de Minería y Metales (ICMM por sus siglas en inglés) ha adoptado una política de "zona prohibida" para los Sitios del Patrimonio Mundial y está comprometido a evitar los efectos negativos de las actividades mineras adyacentes a los Sitios del Patrimonio Mundial. Varias compañías gaseras y petroleras han adoptado esta política, incluyendo a Shell y a Total. En algunos casos, por ejemplo en el Parque Nacional de Virunga, se ha dado la cooperación en respuesta al alto perfil de las controversias contra los intentos de extracción en los Sitios del Patrimonio Cultural. También se han establecido compromisos similares con el sector financiero con firmas como J.P. Morgan y HSBC.

Sin embargo, aún falta mucho por hacer para salvaguardar de manera efectiva a los Sitios del Patrimonio Mundial, de los proyectos de gran escala, así como de otras amenazas críticas como son el creciente comercio ilegal de vida silvestre, los impactos del cambio climático y de las especies invasivas, todos los cuales precisan de decisivas acciones colectivas. Si en realidad se busca salvaguardar los valores fundamentales de la Convención del Patrimonio Mundial, debemos aplicar, sin excepción, los estándares más altos para la protección de todos los Sitios en riesgo. Claro que esto requiere también de mejoras de la gestión de muchos Sitios del Patrimonio

Programme, which gives young people a chance to learn about World Heritage, voice their concerns, and become involved in the protection of cultural and natural heritage. UNESCO's World Heritage Volunteers initiative, launched in 2008, also seeks to mobilize and involve young people and youth organizations in World Heritage preservation and promotion. In addition, UNESCO and its partners produce many World Heritage publications, including brochures, newsletters, magazines, maps, and mobile applications, often in multiple languages, for a wide range of audiences. World Heritage Sites receive more attention in the media and civil society than any other network of protected areas, and many of the issues affecting these sites attract international interest—a goal of the Convention.

However, this does not always result in improved decision making, and many issues related to World Heritage Sites still go unnoticed for too long, despite the requirement that States Parties keep the public informed of threats to their sites and activities carried out in pursuance of the Convention. The new IUCN World Heritage Outlook assessment fills a critical information gap on the state of conservation of all natural World Heritage Sites and, through its web portal (www.worldheritageoutlook.iucn.org), should help to increase public awareness, involvement, and support for World Heritage.

As much as conservationists know and love the World Heritage concept, and despite progress in promoting World Heritage, it still remains something of a well-kept secret to the world at large. Some countries, such as Australia, South Africa, and China, and to some extent the United States, do broadcast that they have World Heritage Sites. However, many countries fortunate enough to have World Heritage Sites do not take full advantage of the distinction. Some may put up plaques celebrating the fact that a particular site is on the World Heritage List, but few people take notice, or even recognize what such a designation means. Many other countries make no public use of the World Heritage designation, rendering it largely useless in terms of local community development and national fundraising strategies.

Continuing to increase awareness of World Heritage status through publications, such as this book, and other educational materials, such as films and documentaries, is critically important. Perhaps an additional way to supplement educational and informational materials would be to promote World Heritage Sites visitation as a competitive and prestigious tourism activity, as has been done with bird-watching, which is now a multibillion-dollar industry. This same sort of activity is

Mundial y que la Convención del Patrimonio Mundial sea reconocida por toda la comunidad internacional, como se discute más adelante.

Garantizar que todos los Sitios del Patrimonio Mundial sean manejados con los estándares más altos y preservar de manera efectiva los Valores Excepcionales Universales es una responsabilidad compartida entre todos los Estados Parte de la Convención. También es responsabilidad de la sociedad civil brindar ayuda a la Convención y contribuir a la protección de los Sitios del Patrimonio Mundial. Muchas organizaciones no gubernamentales (ONGs) apoyan a los Sitios mediante asistencia a la gestión y su defensa, rubro en el que últimamente se ha tenido un mayor involucramiento de las ONGs en el trabajo de la Convención. Por ejemplo, la participación de la sociedad civil en los encuentros del Comité del Patrimonio Mundial se está incrementado, y en los últimos años han surgido varias redes de ONGs regionales y globales para brindar apoyo a la Convención. Sin embargo, la escala de este involucramiento tiene que crecer. El futuro de la Convención recaerá en gran medida en la sociedad civil, así como en los pueblos indígenas y en las comunidades locales, quienes a menudo dependen del Patrimonio Mundial y están en condiciones de hacer contribuciones sustantivas a su protección y a su gestión.

Muchos grupos están comprometidos con la comunicación del Patrimonio Mundial, incluyendo al Secretariado de la Convención, a los Estados Parte y a los Consejos Consultivos, al turismo y los medios de comunicación y a las organizaciones de la sociedad civil. Un ejemplo de esto es el Programa de Educación del Patrimonio Mundial de la UNESCO en donde los jóvenes tienen la oportunidad de aprender sobre el Patrimonio Mundial, expresar su preocupación e involucrarse en la protección del patrimonio natural y cultural. La iniciativa del Voluntariado para el Patrimonio Mundial de la UNESCO, creada en 2008, busca, asimismo, movilizar e involucrar a los jóvenes y a organizaciones juveniles en la preservación y promoción del Patrimonio Mundial. Además, la UNESCO y organizaciones asociadas producen muchas publicaciones sobre el Patrimonio Mundial, incluyendo folletos, boletines, revistas, mapas y aplicaciones móviles, en ocasiones en varios idiomas, para una amplia gama de audiencias. Los Sitios del Patrimonio Mundial reciben mayor atención en los medios que cualquier otra red de áreas protegidas y muchos de las afectaciones relacionadas a éstos reciben atención internacional—lo que es, de hecho, una de las metas de la Convención.

No obstante, lo anterior no siempre conlleva a una mejor toma

now emerging for other animal and plant groups, including primates, turtles, butterflies, and many others. What could be more exciting than visiting the highest-value natural and cultural sites on the planet and developing a life-list of World Heritage Sites? Without a doubt, sustainably conducted tourism that generates local benefits could bolster support for World Heritage Sites, including additional financing for their protection.

The international conservation community has made progress in recognizing indigenous and community rights and in ensuring that indigenous peoples and communities are directly involved in the protection of their lands, including sacred natural sites and other places with special cultural or spiritual significance, as well as their intangible cultural heritage. Far more work needs to be done, however, and World Heritage Sites will need to figure prominently as leaders in this continuing effort, as one of the central aims of the World Heritage Convention is to encourage local citizen participation in the preservation of their cultural and natural heritage.

Local communities and indigenous peoples should be closely involved from the very beginning of the nomination process for a new World Heritage Site. They should take part in the interpretation and assessment of a site's Outstanding Universal Value, the preparation and presentation of the nomination, and the subsequent management of the site. With respect to management, World Heritage Sites should recognize preexisting governance systems that contribute to a site's uniqueness. Where feasible, the management system developed for the World Heritage Site should build on these systems to facilitate long-term management, equity, and biocultural sustainability.

Unfortunately this is not yet standard practice. Numerous World Heritage Sites overlap with indigenous territories, but in many cases indigenous communities are not yet fully integrated into site management. In addition, indigenous peoples and local communities that might be affected by the listing of a site continue to be excluded from the nomination process for new sites, and reports continue to be received of rights violations relating to nominations. Thus, many sites do not yet serve as models for integrated and equitable conservation, as they should.

On the positive side, there are clear signs of movement. Rights-based approaches are central to UNESCO's mission and UNESCO has on numerous occasions acknowledged the importance of recognizing and respecting indigenous and community rights in the context of

de decisiones, y muchos asuntos relacionados a los Sitios del Patrimonio Mundial pasan inadvertidos, a pesar de que es requisito para los Estados Parte, mantener informado al público acerca de las amenazas a los sitios, así como informar sobre las actividades realizadas en cumplimiento de la Convención. La nueva evaluación de la Perspectiva del Patrimonio Mundial de la UICN llena un importante vacío de información respecto del estado que guarda la conservación de los Sitios del Patrimonio Mundial y se espera que su portal (www.worldheritageoutlook.iucn.org), incremente la preocupación y el involucramiento público en apoyo al Patrimonio Mundial.

Por más que los conservacionistas conozcan y amen el concepto del Patrimonio Mundial, y, a pesar de los progresos de su promoción, para el mundo en general, aún sigue siendo un secreto bien guardado. En algunos países como Australia, Sudáfrica y China, y hasta cierto punto en la Unión Americana se difunde que esos países tienen Sitios del Patrimonio Mundial. No obstante, en muchos países que son lo suficientemente afortunados para tener Sitios del Patrimonio Mundial, esta distinción no se aprovecha lo suficiente. Algunos tal vez imprimen placas conmemorativas celebrando el hecho de que tienen sitios en la Lista del Patrimonio Mundial, aunque muy pocas personas lo adviertan, o que siquiera lleguen a reconocer lo que ello signifique. Otros países no hacen un uso público de la designación haciéndola, entonces, inservible en la práctica respecto de las estrategias para el desarrollo comunitario local y para la obtención de recursos a nivel nacional.

Es de suma importancia seguir incrementando la conciencia sobre el estado que guarda el Patrimonio Mundial mediante publicaciones, como el presente libro y otros materiales como son las películas y los documentales. Quizás, otra forma alternativa a los materiales educativos e informativos pueda ser la promoción de visitas turísticas a los Sitios como una actividad competitiva y prestigiosa, como se ha hecho, por ejemplo, con el avistamiento de aves, que es actualmente una industria global multimillonaria. Algo similar está ocurriendo ahora con otros grupos de animales y plantas, incluyendo a los primates, las tortugas, las mariposas y muchos otros. ¿Qué puede ser más excitante que visitar los sitios naturales y culturales más valiosos en el planeta y hacer de por vida el recorrido a los Sitios del Patrimonio Mundial? Sin lugar a duda, el turismo sustentable generador de beneficios locales puede coadyuvar al fortalecimiento de los Sitios del Patrimonio Mundial, sumando capacidades financieras para su protección.

World Heritage. A major workshop in 2012 not only issued a strong call to action for indigenous and community rights, but also developed a set of proposed amendments to the Convention's Operational Guidelines. These amendments would explicitly refer to the UN Declaration on the Rights of Indigenous Peoples and would provide standards to ensure recognition of rights, as well as standards for the full and effective involvement of indigenous peoples and local communities in the Convention's evaluation and monitoring processes, and in the management of World Heritage Sites on indigenous peoples' lands, territories, and seas.

IUCN and the International Council on Monuments and Sites (ICOMOS) have also been working to ensure strict adherence to rights-based approaches, as well as to address another key issue, which is the lack of recognition under the Convention of sites whose Outstanding Universal Value is based on the interplay between culture and nature. Cultural and natural values are often inseparable, and developing methods for recognizing and supporting their interconnectedness, in mixed natural and cultural sites, as well as cultural landscapes, is essential. Failure to do so would create significant gaps on the List, as many biocultural landscapes with Outstanding Universal Value would be missed, thereby preventing the Convention from reaching its full expression and vitality. World Heritage status should not be a barrier to progress for indigenous peoples, but instead should function as a major asset and a source of sustainable economic development.

The World Heritage Convention is crucially important because of the places it protects—places that are of such universal significance that they have been entrusted to the entire global community for their safekeeping. But the Convention is also fundamentally unique for its ethic—for the principle that some places are far too precious to trade off or "offset," and whose integrity and values simply must be protected with bright lines and unwavering commitment; for the principle that the rights of local communities and indigenous peoples must be recognized and upheld at all times; for the principle that in some cases outstanding natural and cultural value not only coexist in the same place, but often are inseparably linked; and for the principle that we have a duty to protect our heritage for future generations and to transmit it to our children, and on to their children, with undiminished values and preferably in even better condition.

These principles—and the leadership the World Heritage Convention can provide—are all the more necessary given that we are

La colectividad conservacionista internacional ha progresado en el reconocimiento de los derechos de las comunidades indígenas, procurando que estos pueblos y comunidades se involucren directamente en la protección de sus tierras, incluyendo sitios naturales sagrados y otros de significación cultural y espiritual de especial significancia, así como su patrimonio cultural intangible. Sin embargo, aún se requiere mucho trabajo y los Sitios del Patrimonio Mundial deben figurar entre los primeros esfuerzos de la Convención del Patrimonio Mundial por fomentar la participación de las comunidades locales en la preservación de su patrimonio cultural y natural.

Las comunidades locales y los pueblos indígenas debieran estar íntimamente involucrados desde el inicio mismo del proceso de nominación para un nuevo Sitio del Patrimonio Mundial. Ellos debieran formar parte en la interpretación y en la valoración del Valor Universal Excepcional, desde la preparación, la presentación y la nominación y luego en la ulterior gestión del sitio. En cuanto a la administración, los Sitios del Patrimonio Mundial deben reconocer los sistemas preexistentes de gobernanza que contribuyan a la peculiaridad de ese sitio. En donde sea factible, el sistema de gestión desarrollado para el Sitio debe ser construido desde estos sistemas de gobierno, para facilitar la gestión a largo plazo, así como la equidad y la sustentabilidad biocultural.

Desafortunadamente, ésta no es aún una práctica común. Muchos Sitios del Patrimonio Mundial se superponen a los territorios indígenas y en muchos casos las comunidades todavía no se encuentran integradas a la gestión del lugar. Más aún, los pueblos indígenas y las comunidades locales que se ven afectadas por la nominación de un sitio son deliberadamente excluidos del proceso de nominación de nuevos sitios, y se siguen documentando violaciones a derechos en las nominaciones. Por tanto, muchos sitios aún no sirven como modelo de conservación equitativa e integrada, como debiera ser.

Pero, por otro lado, y de manera positiva, existen claros signos de progreso. Un enfoque basado en los derechos es fundamental para la misión de la UNESCO, y en numerosas ocasiones la UNESCO ha admitido la importancia que tiene el reconocimiento de los derechos y el respeto a las comunidades indígenas en el contexto del Patrimonio Mundial. En 2012 se llevó a cabo un gran taller, que no sólo emitió un fuerte llamado a la acción en favor de los derechos de los indígenas y de comunidades locales, sino que también propuso una serie de enmiendas a las Directrices Prácticas para la aplicación

in the midst of accelerating global climate change and biodiversity crises and that protected areas everywhere are under increased threat. In the face of these twin crises, which constitute two of the greatest challenges humanity is facing in the twenty-first century, the Convention and the places it protects can provide clarity, strength of purpose, and a beacon of hope. As a result, we can expect that the Convention will not only endure, but will grow in stature.

Protecting World Heritage Sites is not sufficient to address the planet's environmental problems. Yet it has been an excellent starting point. If we cannot at a minimum be successful in protecting World Heritage, if we cannot safeguard the best of the best, then it is not at all clear how we can achieve the objectives of our other, much more ambitious, global environmental and sustainability objectives. The challenge is therefore unambiguous. The international conservation community must make it an urgent and overriding priority to ensure that the Convention functions as a highly respected conservation mechanism providing strong leadership, that all World Heritage Sites are well managed and well protected for future generations, and that the world at large comes to understand their enormous importance.

CYRIL F. KORMOS, RUSSELL A. MITTERMEIER, TIM BADMAN, BASTIAN BERTZKY, ELENA OSIPOVA, and ERNESTO ENKERLIN

de la Convención. Estas enmiendas harían referencia explícita a la Declaración de los Derechos de los Pueblos Indígenas de la ONU, que aporta garantías para el reconocimiento de sus derechos, lo mismo que su derecho al involucramiento pleno y efectivo de los pueblos indígenas y de las comunidades locales en los procesos de evaluación y monitoreo de la Convención, así como su derecho a la gestión de los Sitios del Patrimonio Mundial localizados en las tierras, mares y territorios donde ellos viven.

La UICN y el Consejo Internacional de Monumentos y Sitios (ICOMOS por sus siglas en inglés) también han estado trabajando para garantizar la estricta observancia de enfoques basados en los derechos. Igualmente se han dedicado a otro asunto fundamental, que es la falta de reconocimiento de sitios que, según la Convención, su Valor Universal Excepcional está sustentado en la interacción entre cultura y naturaleza. Los valores culturales y naturales son a menudo inseparables, siendo esencial desarrollar métodos para reconocer y apoyar la interconectividad en los sitios mixtos y en los paisajes culturales. Si no se hace lo anterior, entonces se generarían vacíos importantes en la Lista pues muchos paisajes bioculturales con Valor Universal Excepcional estarían ausentes, impidiendo así que la Convención alcanzase su plena expresión y vitalidad. El estado del Patrimonio Mundial no debiera ser un obstáculo para el progreso de los pueblos indígenas, por el contrario, debería funcionar como un recurso principal y una fuente de desarrollo económico sustentable.

La Convención del Patrimonio Mundial es fundamental por los lugares a los que da protección—sitios de tal jerarquía universal, que su salvaguarda le ha sido otorgada a la comunidad global. Pero la Convención también es esencial por su valor ético—bajo el principio de que algunos lugares son demasiado valiosos como para realizar imprimirle un valor comercial o un "costo de compensación" y cuya integridad y valores simplemente deben ser protegidos por todos los medios y con un franco compromiso. Honrando el principio de que los derechos de las comunidades locales y los pueblos indígenas se deben reconocer y defender bajo cualquier circunstancia; entendiendo que en ocasiones los valores culturales y naturales excepcionales coexisten en algunos lugares y a menudo de manera inseparable; tenemos la obligación de proteger nuestro patrimonio para las futuras generaciones y de transferir su valor intacto a nuestros hijos, y a los hijos de ellos, pronto, e inclusive en mejores condiciones que las actuales.

Estos principios—y el liderazgo que la Convención del Patrimonio Mundial puede ejercer—son ahora más necesarios ante el rápido cambio climático, la crisis de biodiversidad, y las amenazas de riesgos que enfrentan las áreas protegidas en todos lados. Ante esta doble crisis, que constituyen dos de los más grandes retos que la humanidad encara en el siglo veintiuno, la Convención y los lugares que protege pueden proporcionarnos claridad, fortaleza de miras y un faro de esperanza. Por tanto, podemos esperar que la Convención no sólo resista, sino que incluso se agigante.

Para proteger los Sitios del Patrimonio Mundial no es suficiente abordar los problemas ambientales del planeta, aunque éste ha sido un excelente punto de partida. Si, como mínimo, no podemos ser exitosos en la protección del Patrimonio Mundial, si no podemos salvaguardar lo mejor de lo mejor, entonces no está claro cómo vamos a lograr otros objetivos mucho más ambiciosos que tienen que ver con el medio ambiente global y la sustentabilidad. El reto no es ambiguo. La comunidad internacional conservacionista debe retomar como prioridad urgente que la Convención afirme sus funciones como un mecanismo altamente respetado, provisto de un enérgico liderazgo, que todos los Sitios del Patrimonio Mundial sean bien manejados y bien protegidos para las futuras generaciones, y que todo el mundo finalmente comprenda su enorme importancia.

CYRIL F. KORMOS, RUSSELL A. MITTERMEIER, TIM BADMAN, BASTIAN BERTZKY, ELENA OSIPOVA y ERNESTO ENKERLIN

PRECEDING PAGES/PÁGINAS ANTERIORES (62–63)
Rhinoceros unicornis
Indian rhinoceros | Rinoceronte unicornio índico
Kaziranga National Park | Parque Nacional de Kaziranga
India
THEO ALLOFS/MINDEN PICTURES/NAT GEO CREATIVE

Thungyai-Huai Kha Khaeng Wildlife Sanctuaries |
Santuarios de Fauna de Thung Yai-Huai Kha Khaeng
Thailand | Tailandia
STEVE WINTER

Tikal National Park | Parque Nacional de Tikal
Guatemala

KENNETH GARRETT/NAT GEO CREATIVE

ABOVE/ARRIBA
Scarus guacamaia | Rainbow parrotfish | Pez guacamaya
Belize Barrier Reef Reserve System |
Red de Reservas del Arrecife de Barrera de Belice
Belize | Belice

LEFT/IZQUIERDA
Belize Barrier Reef Reserve System |
Red de Reservas del Arrecife de Barrera de Belice
Belize | Belice
BRIAN SKERRY

Cape Floral Region Protected Areas |
Zonas Protegidas de la Región Floral de El Cabo
South Africa | Sudáfrica

NEIL ALDRIDGE

Tajik National Park (Mountains of the Pamirs) |
Parque Nacional Tayiko (Cordillera del Pamir)
Tajikistan | Tayikistán
BOAZ ROTTEM/ALAMY

Grand Canyon National Park |
Parque Nacional del Gran Cañón
United States of America |
Estados Unidos de América
GERHARD ZWERGER-SCHO/IMAGEBROKER/FLPA

Tassili n'Ajjer | Tasili n'Ajer
Algeria | Argelia
DPK-PHOTO/ALAMY

ABOVE/ARRIBA
Loxodonta africana | African elephant | Elefante africano
Okavango Delta | Delta del Okavango
Botswana
DAVID DOUBILET

LEFT/IZQUIERDA
Loxodonta africana | African elephant | Elefante africano
Okavango Delta | Delta del Okavango
Botswana
FRANS LANTING/LANTING.COM

Potamotrygon motor
Ocellate river stingray | Raya ocelada de agua dulce
Pantanal Conservation Area |
Zona de Conservación del Pantanal
Brazil | Brasil
JOEL SARTORE

Central Amazon Conservation Complex |
Complejo de Conservación de la Amazonia Central
Brazil | Brasil
CLAUS MEYER/NAT GEO CREATIVE

Great Barrier Reef | La Gran Barrera
Australia
ART WOLFE/ARTWOLFE.COM

Eschrichtius robustus | Gray whale | Ballena gris
Whale Sanctuary of El Vizcaino |
Santuario de Ballenas de El Vizcaíno
Mexico | México
HIROYA MINAKUCHI/MINDEN PICTURES/FLPA

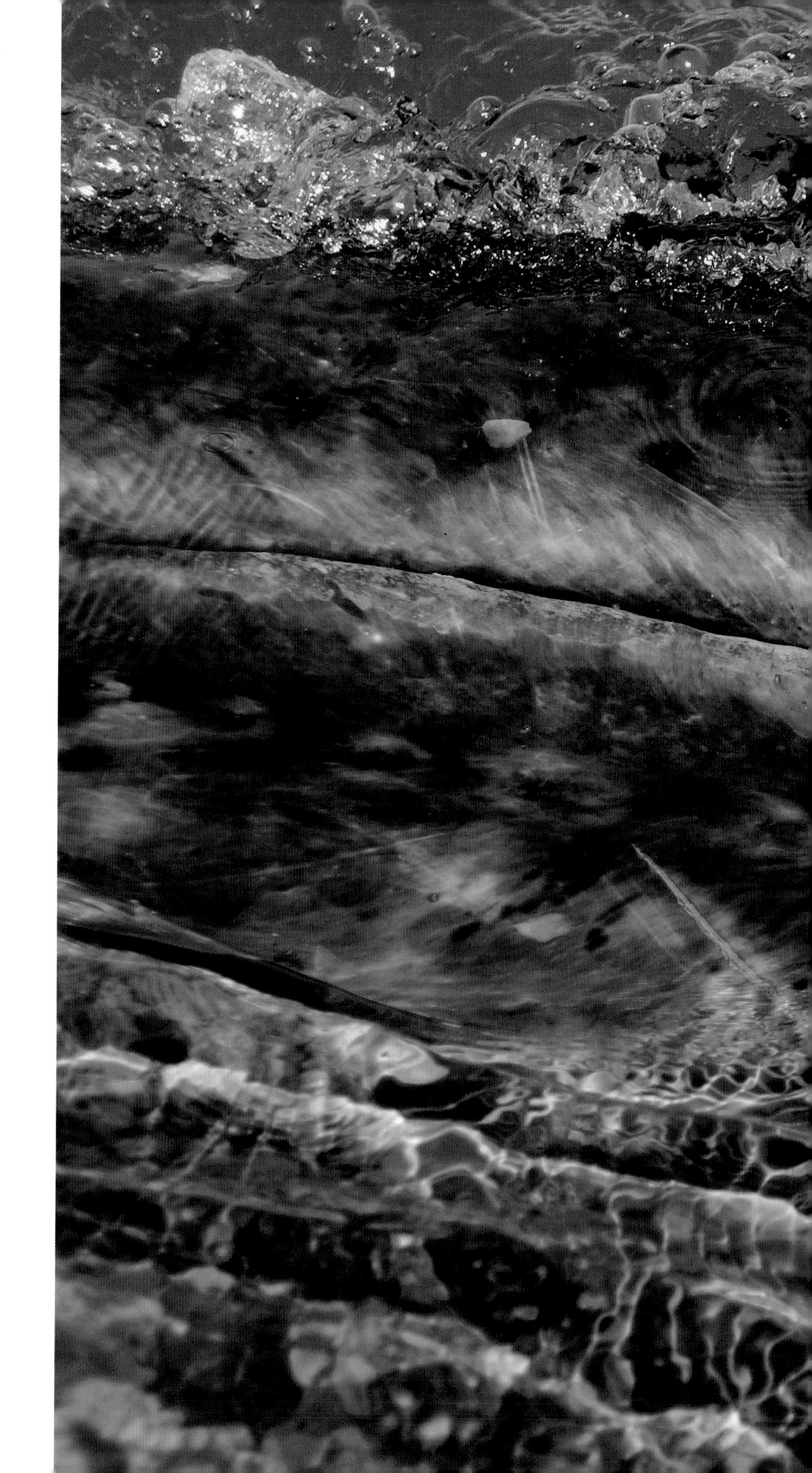

Connochaetes taurinus | Blue wildebeest | Ñu azul
Serengeti National Park | Parque Nacional de Serengeti
United Republic of Tanzania | República Unida de Tanzania
ANDRÉ GILDEN

Ovis canadensis | Bighorn sheep | Borrego cimarrón
Yellowstone National Park | Parque Nacional de Yellowstone
United States of America | Estados Unidos de América
ART WOLFE/ARTWOLFE.COM

Bison bonasus | European bison | Bisonte europeo
Białowieża Forest | Bosque de Białowieża
Poland | Polonia
KLAUS NIGGE

Los Glaciares National Park |
Parque Nacional de Los Glaciares
Argentina
CARR CLIFTON

Sagarmatha National Park |
Parque Nacional de Sagarmatha
Nepal
MICHAEL ANDERSON

ABOVE/ARRIBA
Hippopotamus amphibius
Hippopotamus | Hipopótamo anfibio
Selous Game Reserve | Reserva de Caza de Selous
United Republic of Tanzania | República Unida de Tanzania
ARIADNE VAN ZANDBERGEN

RIGHT/DERECHA
Selous Game Reserve | Reserva de Caza de Selous
United Republic of Tanzania | República Unida de Tanzania
MICHAEL POLIZA

Uluru-Kata Tjuta National Park |
Parque Nacional de Uluru-Kata Tjuta
Australia
MICHAEL POLIZA

Ursus arctos | Brown bear | Oso pardo
Volcanoes of Kamchatka | Volcanes de Kamchatka
Russian Federation | Federación de Rusia
SERGEY GORSHKOV

Central Suriname Nature Reserve |
Reserva Natural de Suriname Central
Suriname

CRISTINA MITTERMEIER

ABOVE/ARRIBA
Propithecus deckenii | Decken's sifaka | Sifaka de Decken
Tsingy de Bemaraha Strict Nature Reserve |
Reserva Natural Integral del Tsingy de Bemaraha
Madagascar

LEFT/IZQUIERDA
Tsingy de Bemaraha Strict Nature Reserve |
Reserva Natural Integral del Tsingy de Bemaraha
Madagascar

STEPHEN ALVAREZ/NAT GEO CREATIVE

Isole Eolie (Aeolian Islands) |
Isole Eolie (Islas Eólicas)
Italy | Italia

CEDRIC PERONNIER/BIOSPHOTO/AUSCAPE

Saryarka – Steppe and Lakes of Northern Kazakhstan |
Saryarka – Estepa y Lagos del Kazajstán Septentrional
Kazakhstan | Kazajstán

KLAUS NIGGE

Buceros bicornis | Great hornbill | Gran cálao
Dong Phayayen-Khao Yai Forest Complex |
Complejo Forestal de Dong Phayayen – Khao Yai
Thailand | Tailandia

TIM LAMAN

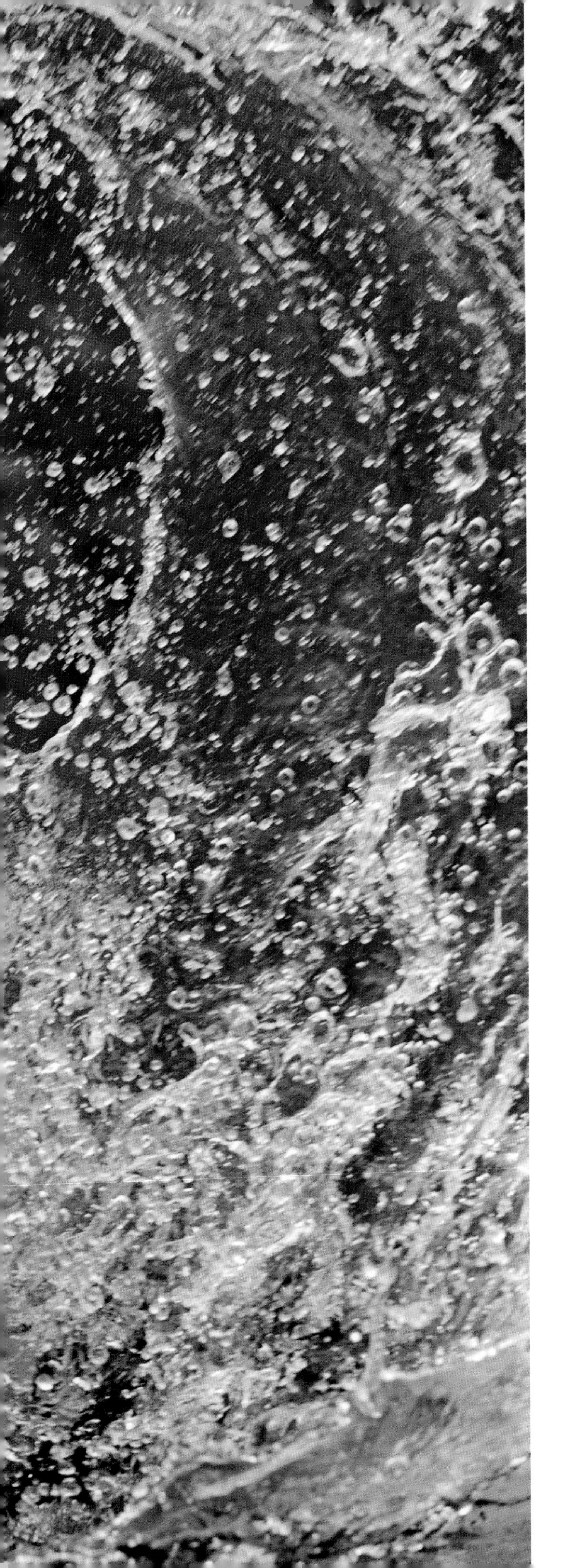

Inia geoffrensis | Pink river dolphin | Boto color de rosa
Central Amazon Conservation Complex |
Complejo de Conservación de la Amazonia Central
Brazil | Brasil
KEVIN SCHAFER

Purnululu National Park |
Parque Nacional de Purnululu
Australia
ART WOLFE/ARTWOLFE.COM

Wrangell-St. Elias National Park, Alaska |
Parque Nacional de Wrangell-St. Elias, Alaska
Kluane / Wrangell-St. Elias / Glacier Bay / Tatshenshini-Alsek |
Kluane / Wrangell-St. Elias / Bahía de los Glaciares / Tatshenshini-Alsek
United States of America | Estados Unidos de América
Canada | Canadá

FRANS LANTING/LANTING.COM

Gulf of Porto: Calanche of Piana, Gulf of Girolata, Scandola Reserve |
Golfo de Porto: Cala de Piana, Golfo de Girolata y Reserva de Scandola
France | Francia
GÜNTER GRÜNER/FLPA

Lakes of Ounianga | Lagos de Unianga
Chad

GEORGE STEINMETZ/NAT GEO CREATIVE

FOLLOWING PAGES/PÁGINAS SIGUIENTES (124–125)
Volcanoes of Kamchatka | Volcanes de Kamchatka
Russian Federation | Federación de Rusia

IGOR SHPILENOK

Hierapolis-Pamukkale | Hierápolis-Pamukkale
Turkey | Turquía
RENÉ MATTES/HEMIS/ALAMY

Ha Long Bay | Bahía de Ha Long
Viet Nam
ART WOLFE/ARTWOLFE.COM

Laponian Area | Región de Laponia
Sweden | Suecia

IMAGEBROKER/ALAMY

Iguazu National Park |
Parque Nacional del Iguazú
Argentina
ART WOLFE/ARTWOLFE.COM

Jiuzhaigou Valley Scenic and Historic Interest Area |
Región de Interés Panorámico e Histórico del Valle de Jiuzhaigu
China
XI ZHINONG/WILD CHINA FILM

Ursus maritimus | Polar bear | Oso polar
Natural System of Wrangel Island Reserve |
Sistema Natural de la Reserva de la Isla de Wrangel
Russian Federation | Federación de Rusia
SERGEY GORSHKOV

Wadi Al-Hitan (Whale Valley) |
Uadi Al Hitan (El Valle de las Ballenas)
Egypt | Egipto
B. O'KANE/ALAMY

Namib Sand Sea | Arenal de Namib
Namibia

FRANS LANTING/LANTING.COM

ABOVE/ARRIBA
Kinabalu Park | Parque de Kinabalu
Malaysia | Malasia

LEFT/IZQUIERDA
Kinabalu Park | Parque de Kinabalu
Malaysia | Malasia
CHRISTIAN ZIEGLER

Panthera onca | Jaguar | Jaguar
Pantanal Conservation Area |
Zona de Conservación del Pantanal
Brazil | Brasil
LUCIANO CANDISANI

Delphinus delphis
Short-beaked common dolphin | Delfín común
Islands and Protected Areas of the Gulf of California |
Islas y Áreas Protegidas del Golfo de California
Mexico | México
JAIME ROJO

FOLLOWING PAGES/PÁGINAS SIGUIENTES (148–149)
Te Wahipounamu – South West New Zealand |
Te Wahipounamu – Zona Sudoccidental de Nueva Zelandia
New Zealand | Nueva Zelandia
COLIN MONTEATH/MINDEN PICTURES/FLPA

Lake Baikal | Lago Baikal
Russian Federation | Federación de Rusia
ALEXEY TROFIMOV

Xinjiang Tianshan | El Tianshan de Xinjiang
China

GEORGE STEINMETZ/NAT GEO CREATIVE

Ischigualasto / Talampaya Natural Parks |
Parques Naturales de Ischigualasto / Talampaya
Argentina
JAMES BRUNKER/ALAMY

Waterton Glacier International Peace Park |
Parque Internacional de la Paz Waterton-Glacier
United States of America | Estados Unidos de América
Canada | Canadá

ART WOLFE/ARTWOLFE.COM

Diceros bicornis | Black rhinoceros | Rinoceronte negro
Mount Kenya National Park / Natural Forest |
Parque Nacional / Selva Natural del Monte Kenya
Kenya
MARTIN HARVEY

Lake Turkana National Parks |
Parques Nacionales del Lago Turkana
Kenya
MICHAEL POLIZA

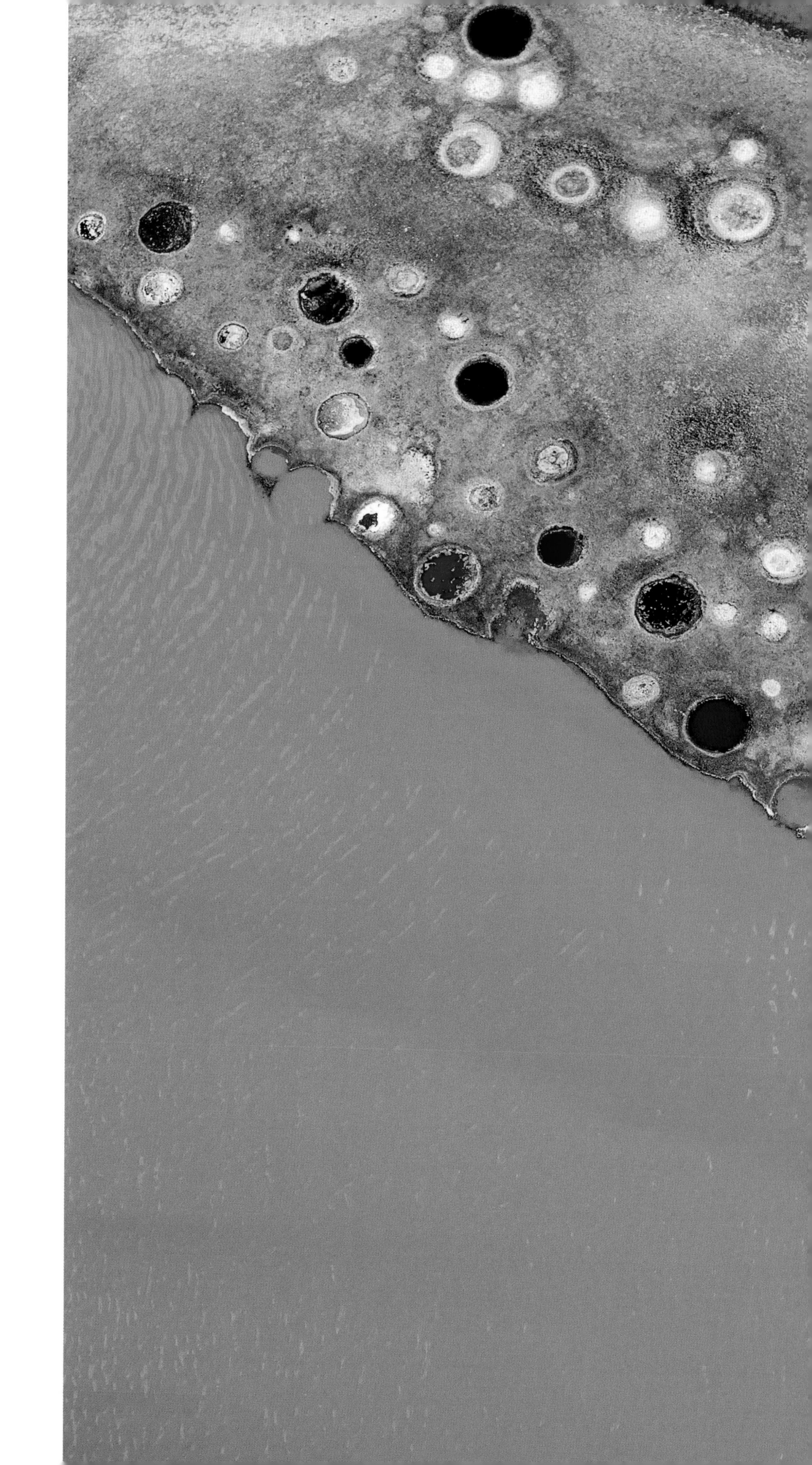

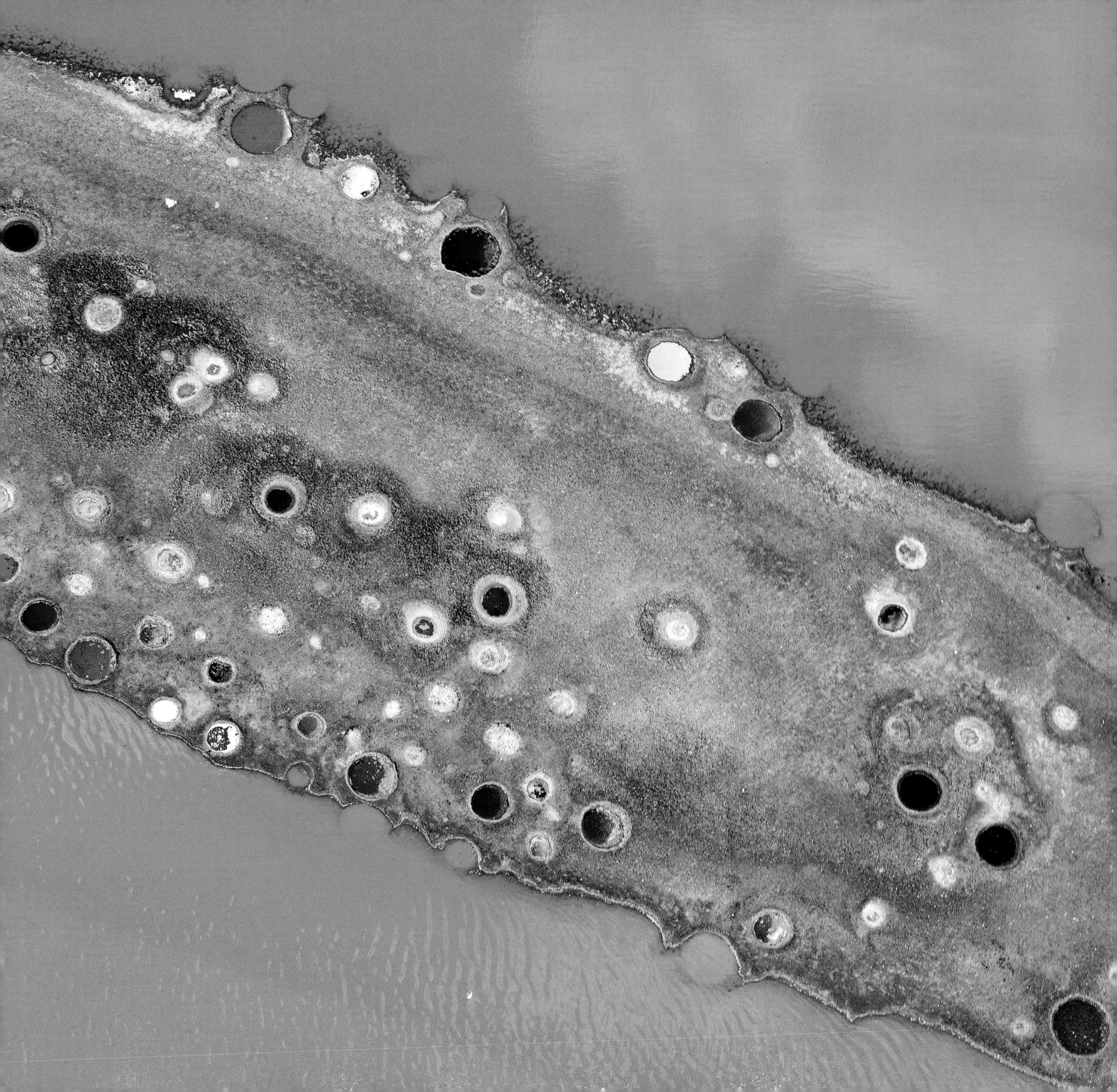

El Pinacate and Gran Desierto de Altar Biosphere Reserve |
Reserva de la Biosfera El Pinacate y Gran Desierto de Altar
Mexico | México
CLAUDIO CONTRERAS KOOB

Ursus ursinus | Sloth bear | Oso perezoso
Chitwan National Park |
Parque Nacional de Chitwan
Nepal
ART WOLFE/ARTWOLFE.COM

ABOVE/ARRIBA
Everglades National Park | Parque Nacional de Everglades
United States of America | Estados Unidos de América
JOEL SARTORE

LEFT/IZQUIERDA
Alligator mississippiensis
American alligator | Lagarto americano
Everglades National Park | Parque Nacional de Everglades
United States of America | Estados Unidos de América
TODD WINNER

Socotra Archipelago | Archipiélago de Socotra
Yemen

MARK MOFFETT/MINDEN PICTURES/FLPA

Putorana Plateau | Meseta de Putorana
Russian Federation | Federación de Rusia
SERGEY GORSHKOV

ABOVE/ARRIBA
Philautus ocularis
Sinharaja Forest Reserve |
Reserva Forestal de Sinharaja
Sri Lanka

LEFT/IZQUIERDA
Sinharaja Forest Reserve |
Reserva Forestal de Sinharaja
Sri Lanka
CRISTINA MITTERMEIER

Gorilla gorilla | Lowland gorilla | Gorila de las tierras bajas
Kahuzi-Biega National Park | Parque Nacional de Kahuzi-Biega
Democratic Republic of the Congo |
República Democrática del Congo

ERIC BACCEGA

Ancient Maya City and Protected Tropical Forests of Calakmul, Campeche |
Antigua Ciudad Maya y Bosques Tropicales Protegidos de Calakmul, Campeche
Mexico | México
IVÁN GABALDÓN

The Dolomites | Los Dolomitas
Italy | Italia
ART WOLFE/ARTWOLFE.COM

Giant's Causeway and Causeway Coast |
Calzada y Costa del Gigante
United Kingdom of Great Britain and Northern Ireland |
Reino Unido de Gran Bretaña e Irlanda del Norte
PÅL HERMANSEN/WILD WONDERS OF EUROPE

Plitvice Lakes National Park |
Parque Nacional de Plitvice
Croatia | Croacia
ART WOLFE/ARTWOLFE.COM

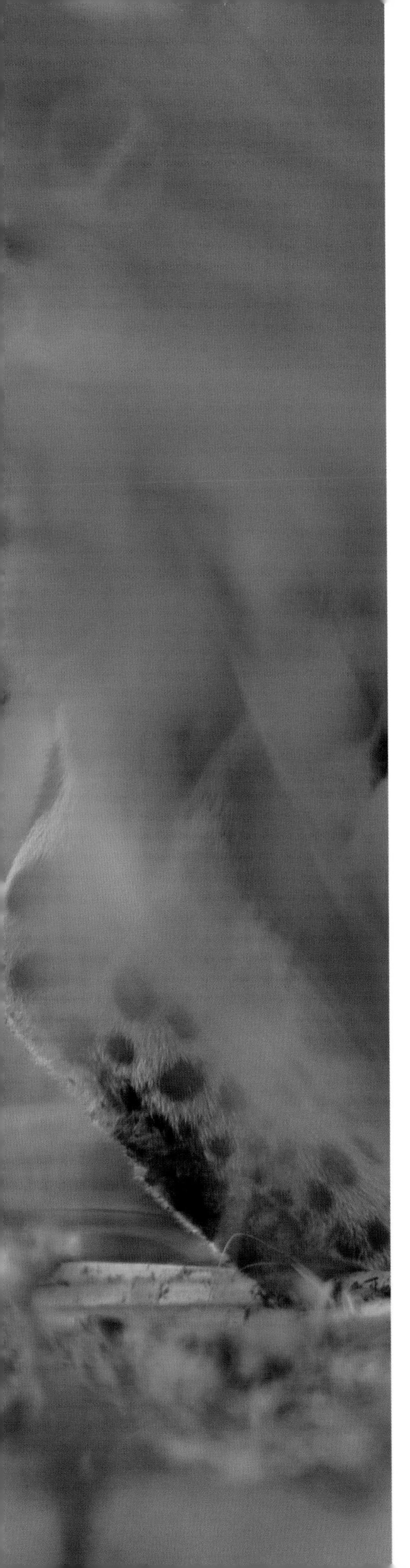

Panthera pardus | Leopard | Leopardo
Niokolo-Koba National Park |
Parque Nacional de Niokolo-Koba
Senegal
FRANS LANTING/LANTING.COM

Eudyptes schlegeli | Royal penguin | Pingüino real
Macquarie Island | Isla Macquarie
Australia

KONRAD WOTHE/MINDEN PICTURES/NAT GEO CREATIVE

Glacier Bay National Park, Alaska |
Parque Nacional de Bahía de los Glaciares, Alaska
Kluane / Wrangell-St. Elias / Glacier Bay / Tatshenshini-Alsek |
Kluane / Wrangell-St. Elias / Bahía de los Glaciares / Tatshenshini-Alsek
United States of America | Estados Unidos de América
Canada | Canadá
CARR CLIFTON

South China Karst |
Karst de la China Meridional
China

ADAM JONES/DANITA DELIMONT/ALAMY

Hawaii Volcanoes National Park |
Parque Nacional de los Volcanes de Hawái
United States of America | Estados Unidos de América
ART WOLFE/ARTWOLFE.COM

ABOVE/ARRIBA
Rupicola peruviana
Andean cock-of-the-rock | Gallito de monte de los Andes
Manú National Park | Parque Nacional de Manú
Peru | Perú

THOMAS MARENT/MINDEN PICTURES/FLPA

RIGHT/DERECHA
Manú National Park | Parque Nacional de Manú
Peru | Perú

FRANS LANTING/LANTING.COM

Durmitor National Park | Parque Nacional de Durmitor
Montenegro
MILÁN RADISICS/WILD WONDERS OF EUROPE

Gunung Mulu National Park |
Parque Nacional de Gunung Mulu
Malaysia | Malasia
CHIEN C. LEE/FLPA

Varanus komodoensis
Komodo dragon | Dragón de Komodo
Komodo National Park | Parque Nacional de Komodo
Indonesia
STEFANO UNTERTHINER

Ptilonorhynchus violaceus
Satin bowerbird | Pergolero satín
Gondwana Rainforests of Australia |
Bosques Lluviosos del Gondwana de Australia
Australia
TIM LAMAN

Ilulissat Icefjord | Fiordo Helado de Ilulissat
Denmark | Dinamarca

KAI JENSEN/WILD WONDERS OF EUROPE

FOLLOWING PAGES/PÁGINAS SIGUIENTES (206–207)
Canaima National Park | Parque Nacional de Canaima
Venezuela (Bolivarian Republic of) |
Venezuela (República Bolivariana de)

MICHAEL ANDERSON

ABOVE/ARRIBA
Kakadu National Park |
Parque Nacional de Kakadu
Australia
JÜRGEN FREUND

LEFT/IZQUIERDA
Kakadu National Park |
Parque Nacional de Kakadu
Australia
KIERAN STONE

Gros Morne National Park |
Parque Nacional de Gros-Morne
Canada | Canadá
DAVID DOUBILET

Panthera tigris | Tiger | Tigre
Sundarbans National Park |
Parque Nacional de los Sundarbans
India

STEVE WINTER

Equus burchellii | Burchell's zebra | Cebra de Burchell
iSimangaliso Wetland Park |
Parque del Humedal de iSimangaliso
South Africa | Sudáfrica
ARIADNE VAN ZANDBERGEN

Lutjanus bohar | Bohar snapper | Pargo Bohar
Aldabra Atoll | Atolón de Aldabra
Seychelles
THOMAS P. PESCHAK

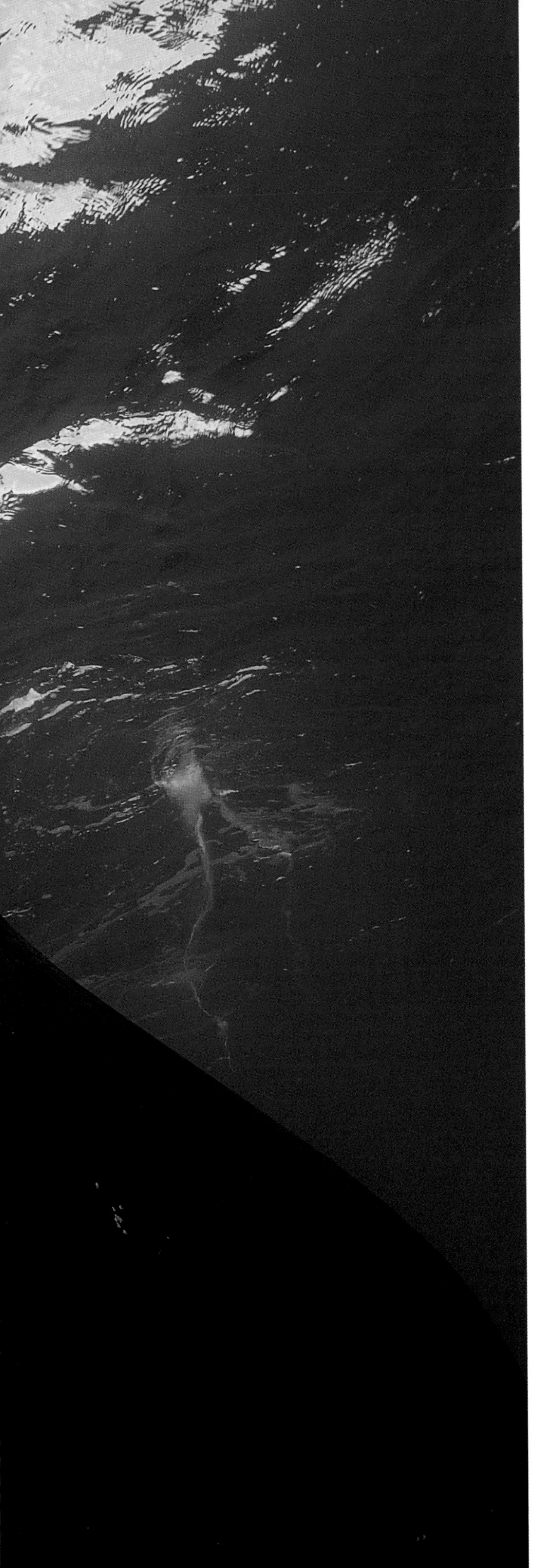

Eubalaena australis | Southern right whale | Ballena franca
New Zealand Sub-Antarctic Islands |
Islas Subantárticas de Nueva Zelandia
New Zealand | Nueva Zelandia
BRIAN SKERRY

Pongo abelii | Sumatran orangutan | Orangután de Sumatra
Tropical Rainforest Heritage of Sumatra |
Patrimonio de los Bosques Lluviosos Tropicales de Sumatra
Indonesia
ART WOLFE/ARTWOLFE.COM

Rwenzori Mountains National Park |
Parque Nacional de los Montes Rwenzori
Uganda

CHRISTIAN ZIEGLER

Talamanca Range–La Amistad Reserves/
La Amistad National Park |
Reservas de la Cordillera de Talamanca–La Amistad/
Parque Nacional de la Amistad
Panama | Panamá
CHRISTIAN ZIEGLER

Phoenicopterus minor | Lesser flamingo | Flamenco enano
Kenya Lake System in the Great Rift Valley |
Sistema de Lagos de Kenya en el Gran Valle del Rift
Kenya
MARTIN HARVEY

Nanda Devi and Valley of Flowers National Parks |
Parques Nacionales de Nanda Devi y el Valle de las Flores
India

EPA/ALAMY

Wet Tropics of Queensland |
Trópicos Húmedos de Queensland
Australia

JÜRGEN FREUND

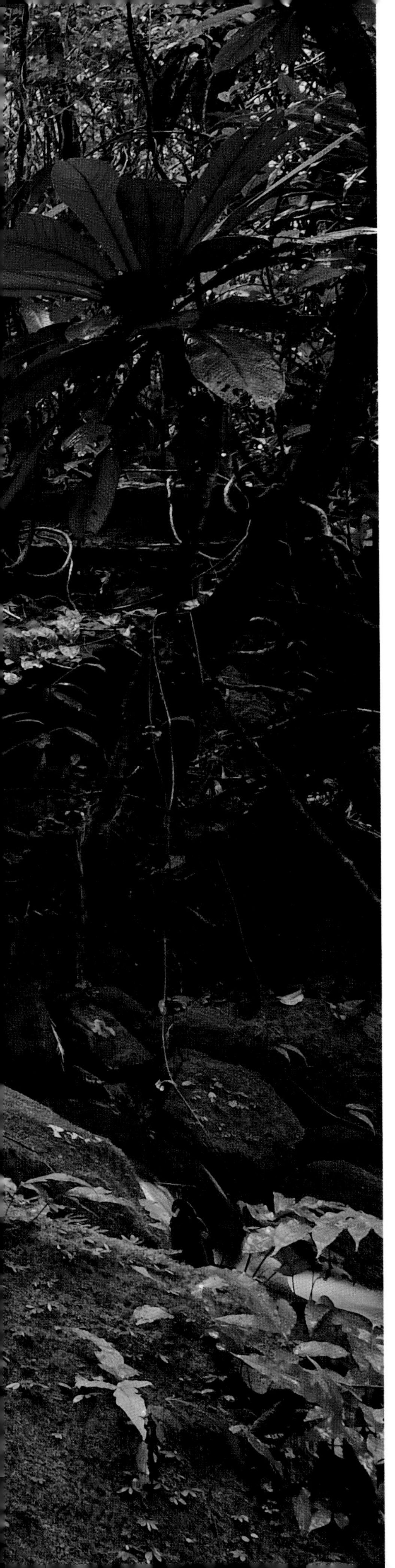

ABOVE/ARRIBA
Eulemur rubriventer
Red-bellied lemur | Lemur de vientre rojo
The Rainforests of the Atsinanana |
Bosques Lluviosos de Atsinanana
Madagascar

LEFT/IZQUIERDA
Rainforests of the Atsinanana |
Bosques Lluviosos de Atsinanana
Madagascar
THOMAS MARENT/MINDEN PICTURES/NAT GEO CREATIVE

Yakushima
Japan | Japón
KEVIN SCHAFER

Coris bulbifrons | Doubleheader | Pargo de doble cabeza
Lord Howe Island Group | Islas de Lord Howe
Australia

DAVID DOUBILET

Octopus vulgaris | Octopus | Pulpo
Ogasawara Islands | Islas Ogasawara
Japan | Japón
BRIAN SKERRY

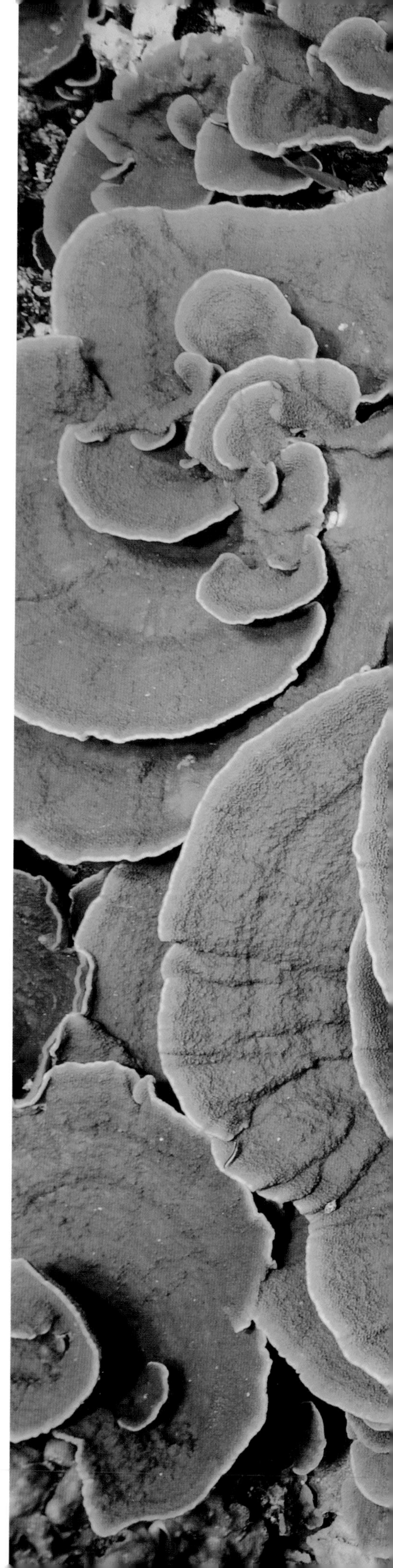

ABOVE/ARRIBA
Paracirrhites hemistictus |
Halfspotted hawkfish | Pez halcón
Phoenix Islands Protected Area |
Zona Protegida de las Islas Fénix
Kiribati

RIGHT/DERECHA
Phoenix Islands Protected Area |
Zona Protegida de las Islas Fénix
Kiribati

BRIAN SKERRY

Amblyrhynchus cristatus
Marine iguana | Iguana marina
Galápagos Islands | Islas Galápagos
PETE OXFORD

Mosi-oa-Tunya / Victoria Falls |
Mosi-oa-Tunya / Cataratas Victoria
Zambia

PETER SCHICKERT/IMAGEBROKER/FLPA

Nycticorax nycticorax | Night heron | Garza negra
Danube Delta | Delta del Danubio
Romania | Rumania

STAFFAN WIDSTRAND/WILD WONDERS OF EUROPE

Cerrado Protected Areas: Chapada dos Veadeiros and Emas National Parks |
Zonas protegidas del Cerrado – Parques Nacionales de Chapada dos Veadeiros y las Emas
Brazil | Brasil

FRANS LANTING/LANTING.COM

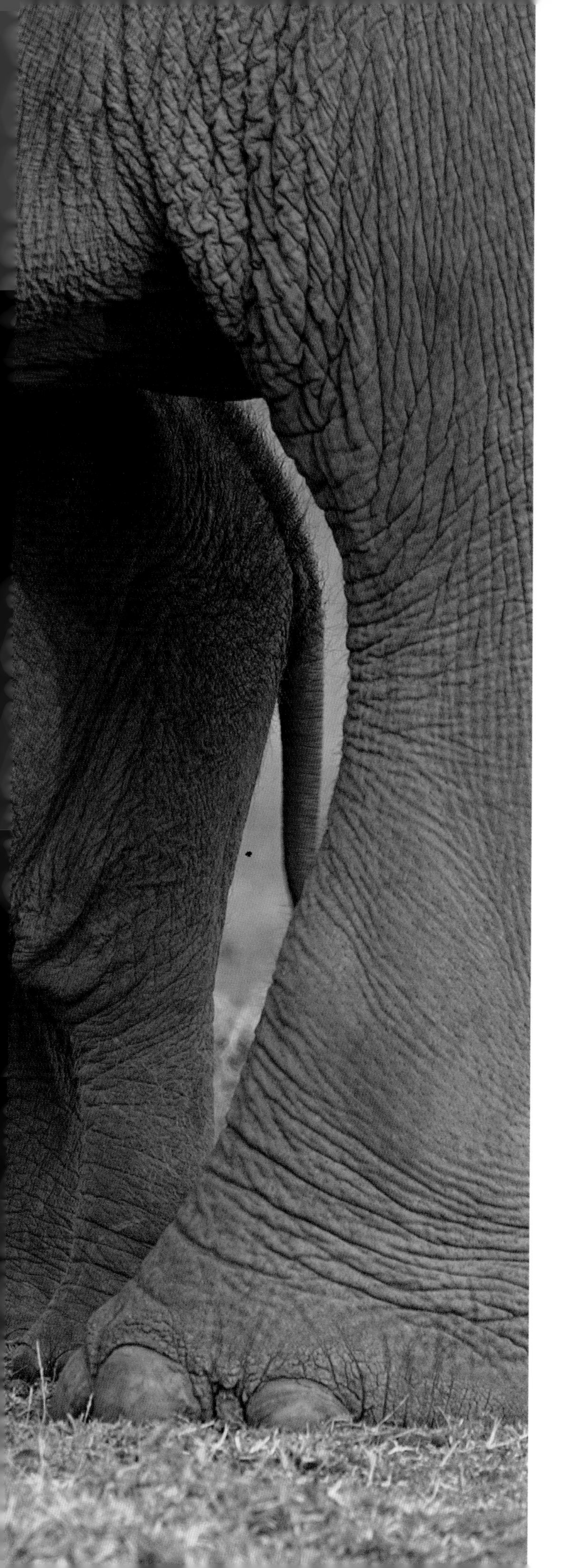

Elephas maximus | Asian elephant | Elefante asiático
Western Ghats | Ghats Occidentales
India

SANDESH KADUR

FOLLOWING PAGES/PÁGINAS SIGUIENTES (252–253)
Gough and Inaccessible Islands | Islas Gough e Inaccesible
United Kingdom of Great Britain and Northern Ireland |
Reino Unido de Gran Bretaña e Irlanda del Norte

CHANTAL STEYN

Garajonay National Park |
Parque Nacional de Garajonay
Spain | España
IÑAKI RELANZON/WILD WONDERS OF EUROPE

Air and Ténéré Natural Reserves |
Reservas Naturales del Air y el Teneré
Niger | Níger
J. MICHAEL FAY/NAT GEO CREATIVE

ABOVE/ARRIBA
Theropithecus gelada | Gelada baboon | Babuino gelada
Simien National Park | Parque Nacional de Simien
Ethiopia | Etiopía
MICHAEL NICHOLS/NAT GEO CREATIVE

RIGHT/DERECHA
Simien National Park | Parque Nacional de Simien
Ethiopia | Etiopía
MICHAEL POLIZA

Maloti-Drakensberg Park | Parque Maloti-Drakensberg
South Africa | Sudáfrica

ARIADNE VAN ZANDBERGEN

Pitons, Cirques and Remparts of Reunion Island |
Pitones, Circos y Escarpaduras de la Isla de la Reunión
France | Francia

HEMIS/ALAMY

Bwindi Impenetrable National Park |
Bosque Impenetrable de Bwindi
Uganda
ART WOLFE/ARTWOLFE.COM

Primeval Beech Forests of the Carpathians and the Ancient Beech Forests of Germany |
Bosques Antiguos de Hayas de Alemania (ampliación del sitio de los Bosques Primarios de Hayas de los Cárpatos Eslovaquia y Ucrania)
Germany | Alemania
Slovakia | Eslovaquia
Ukraine | Ucrania

LOOK DIE BILDAGENTUR DER FOTOGRAFEN GMBH/ALAMY

Sian Ka'an
Mexico | México
CLAUDIO CONTRERAS KOOB

Jeju Volcanic Island and Lava Tubes |
Paisaje Volcánico y Túneles de Lava de la Isla de Jeju
Republic of Korea | República de Corea
JIPEN/ALAMY

Cervus nippon | Sika deer | Ciervo sika
Shiretoko
Japan | Japón
TIM LAMAN

Acknowledgments | Reconocimientos

IUCN and UNESCO gratefully acknowledge the important contributions to this book by the following colleagues:

La UICN y la UNESCO reconocen y agradecen las importantes contribuciones que han realizado para este libro los colegas que se mencionan a continuación:

LEILA MAZIZ
Programme Specialist, UNESCO World Heritage Centre
Especialista del Programa en el Centro del Patrimonio Mundial de la UNESCO

KISHORE RAO
Director of UNESCO World Heritage Centre
Director del Centro del Patrimonio Mundial de la UNESCO

JANE SMART
Global Director, IUCN Biodiversity Conservation Group and Director, IUCN Global Species Programme
Director Mundial del Grupo de Conservación de la Biodiversidad de la IUCN y Director del Programa de Especies del Mundo de la UICN

VESNA VUJICIC-LUGASSY
Chief of Unit, Conventions Common Services, Culture Sector, UNESCO
Jefe de la Unidad de Servicios Públicos para las Convenciones, Sector Cultural, UNESCO

CÉLIA ZWAHLEN
IUCN World Heritage Communications Officer
Oficial del Programa de Comunicaciones del Patrimonio Mundial de la UICN

Tubbataha Reefs Natural Park |
Parque Natural de los Arrecifes de Tubbataha
Philippines | Filipinas
JÜRGEN FREUND

Natural World Heritage Sites | Sitios Naturales del Patrimonio Mundial

For detailed information about specific World Heritage sites please visit whc.unesco.org and click on "The List."
Para obtener información detallada sobre los sitios específicos del Patrimonio Mundial, visite whc.unesco.org y haga clic en "La Lista".

- ● Site in danger | Sitio en peligro
- ● Mixed site | Sitio mixto
- ● Transboundary site | Sitio transfronterizo

ALGERIA | ARGELIA

Tassili n'Ajjer | Tasili n'Ajer ●

ARGENTINA

Iguazu National Park | Parque Nacional del Iguazú
Ischigualasto / Talampaya Natural Parks | Parques Naturales de Ischigualasto / Talampaya
Los Glaciares National Park | Parque Nacional Los Glaciares
Península Valdés

AUSTRALIA

Australian Fossil Mammal Sites (Riversleigh / Naracoorte) | Sitios Fosilíferos de Mamíferos de Australia (Riversleigh / Naracoorte)
Fraser Island | Isla Fraser
Gondwana Rainforests of Australia | Bosques Lluviosos del Gondwana de Australia
Great Barrier Reef | La Gran Barrera
Greater Blue Mountains Area | Región de las Montañas Azules
Heard and McDonald Islands | Islas Heard y McDonald
Kakadu National Park | Parque Nacional de Kakadu ●
Lord Howe Island Group | Islas de Lord Howe
Macquarie Island | Isla Macquarie
Ningaloo Coast | Costa de Ningaloo
Purnululu National Park | Parque Nacional de Purnululu
Shark Bay, Western Australia | Bahía Shark (Australia Occidental)
Tasmanian Wilderness | Zona de Naturaleza Salvaje de Tasmania ●
Uluru-Kata Tjuta National Park | Parque Nacional de Uluru-Kata Tjuta ●
Wet Tropics of Queensland | Trópicos Húmedos de Queensland
Willandra Lakes Region | Región de los Lagos Willandra ●

BANGLADESH

The Sundarbans | Los Sundarbans

BELARUS | BELARÚS

Białowieża Forest | Bosque de Białowieża ●

BELIZE | BELICE

Belize Barrier Reef Reserve System | Red de Reservas del Arrecife de Barrera de Belice ●

BOLIVIA

Noel Kempff Mercado National Park | Parque Nacional Noel Kempff Mercado

BOTSWANA

Okavango Delta | Delta del Okavango

Leontopithecus caissara
Black-faced lion tamarin | Mico león de cara negra
Atlantic Forest South-East Reserves | Bosque Atlántico – Reserva del Sudeste
Brazil | Brasil
TOM SVENSSON

BRAZIL | BRASIL

Atlantic Forest South-East Reserves | Bosque Atlántico – Reservas del Sudeste

Brazilian Atlantic Islands: Fernando de Noronha and Atol das Rocas Reserves | Islas Atlánticas Brasileñas – Reservas de Fernando de Noronha y Atolón de las Rocas

Central Amazon Conservation Complex | Complejo de Conservación de la Amazonia Central

Cerrado Protected Areas: Chapada dos Veadeiros and Emas National Parks | Zonas Protegidas del Cerrado – Parques Nacionales de Chapada Dos Veadeiros y las Emas

Discovery Coast Atlantic Forest Reserves | Costa del Descubrimiento – Reservas de Bosque Atlántico

Iguaçu National Park | Parque Nacional del Iguazú

Pantanal Conservation Area | Zona de Conservación del Pantanal

BULGARIA

Pirin National Park | Parque Nacional de Pirin

Srebarna Nature Reserve | Reserva Natural de Srebarna

CAMEROON | CAMERÚN

Dja Faunal Reserve | Reserva de Fauna de Dja

Sangha Trinational | Sitio Trinacional de Sangha •

CANADA | CANADÁ

Canadian Rocky Mountain Parks | Parques de las Montañas Rocosas Canadienses

Dinosaur Provincial Park | Parque Provincial de los Dinosaurios

Gros Morne National Park | Parque Nacional de Gros-Morne

Joggins Fossil Cliffs | Acantilados Fosilíferos de Joggins

Kluane / Wrangell-St. Elias / Glacier Bay / Tatshenshini-Alsek | Kluane / Wrangell-St. Elias / Bahía de los Glaciares / Tatshenshini-Alsek •

Miguasha National Park | Parque Nacional de Miguasha

Nahanni National Park | Parque Nacional del Nahanni

Waterton Glacier International Peace Park | Parque Internacional de la Paz Waterton-Glacier •

Wood Buffalo National Park | Parque Nacional de Wood Buffalo

CENTRAL AFRICAN REPUBLIC | REPÚBLICA CENTROAFRICANA

Manovo-Gounda St. Floris National Park | Parque Nacional del Manovo-Gounda St. Floris •

Sangha Trinational | Sitio Trinacional de Sangha •

CHAD

Lakes of Ounianga | Lagos de Unianga

CHINA

Chengjiang Fossil Site | Sitio Fosilífero de Chengjiang

China Danxia | Danxia de China

Huanglong Scenic and Historic Interest Area | Región de Interés Panorámico e Histórico de Huanglong

Jiuzhaigou Valley Scenic and Historic Interest Area | Región de Interés Panorámico e Histórico del Valle de Jiuzhaigu

Mount Emei Scenic Area, including Leshan Giant Buddha Scenic Area | Paisaje Panorámico del Monte Emei y Gran Buda de Leshan •

Mount Huangshan | Monte Huangshan •

Mount Sanqingshan National Park | Parque Nacional del Monte Sanqingshan

Mount Taishan | Monte Taishan •

Mount Wuyi | Monte Wuyi •

Sichuan Giant Panda Sanctuaries – Wolong, Mt. Siguniang and Jiajin Mountains | Santuarios del Panda Gigante de Sichuan – Montes Wolong, Siguniang y Jiajin

South China Karst | Karst de la China Meridional

Three Parallel Rivers of Yunnan Protected Areas | Zonas Protegidas del Parque de los Tres Ríos Paralelos de Yunnan

Wulingyuan Scenic and Historic Interest Area | Región de Interés Panorámico e Histórico de Wulingyuan

Xinjiang Tianshan | El Tianshan de Xinjiang

COLOMBIA

Los Katíos National Park | Parque Nacional de los Katíos •

Malpelo Fauna and Flora Sanctuary | Santuario de Fauna y Flora de Malpelo

CONGO

Sangha Trinational | Sitio Trinacional de Sangha •

COSTA RICA

Area de Conservación Guanacaste | Área de Conservación de Guanacaste

Cocos Island National Park | Parque Nacional de la Isla del Coco

Talamanca Range-La Amistad Reserves / La Amistad National Park | Reservas de la Cordillera de Talamanca-La Amistad / Parque Nacional de la Amistad •

CÔTE D'IVOIRE

Comoé National Park | Parque Nacional de Comoé •

Mount Nimba Strict Nature Reserve | Reserva Natural Integral del Monte Nimba • •

Taï National Park | Parque Nacional de Tai

CROATIA | CROACIA

Plitvice Lakes National Park | Parque nacional de Plitvice

CUBA

Alejandro de Humboldt National Park | Parque Nacional Alejandro de Humboldt

Desembarco del Granma National Park | Parque Nacional del Desembarco del Granma

DEMOCRATIC REPUBLIC OF THE CONGO | REPÚBLICA DEMOCRÁTICA DEL CONGO

Garamba National Park | Parque Nacional de Garamba •

Kahuzi-Biega National Park | Parque Nacional de Kahuzi-Biega •

Okapi Wildlife Reserve | Reserva de Fauna de Okapis •

Salonga National Park | Parque Nacional Salonga •

Virunga National Park | Parque Nacional de Virunga •

DENMARK | DINAMARCA

Ilulissat Icefjord | Fiordo Helado de Ilulissat

Wadden Sea | El Mar de las Wadden •

Stevns Klint

DOMINICA | REPÚBLICA DOMINICANA

Morne Trois Pitons National Park | Parque Nacional de Morne Trois Pitons

ECUADOR

Galápagos Islands | Islas Galápagos

Sangay National Park | Parque Nacional Sangay

EGYPT | EGIPTO

Wadi Al-Hitan (Whale Valley) | Uadi Al Hitan (El Valle de las Ballenas)

ETHIOPIA | ETIOPÍA

Simien National Park | Parque Nacional de Simien •

FINLAND | FINLANDIA

High Coast / Kvarken Archipelago | Costa Alta / Archipiélago Kvarken •

FRANCE | FRANCIA

Gulf of Porto: Calanche of Piana, Gulf of Girolata, Scandola Reserve | Golfo de Porto: Cala de Piana, Golfo de Girolata y Reserva de Scandola

Lagoons of New Caledonia: Reef Diversity and Associated Ecosystems | Lagunas de Nueva Caledonia: Diversidad de los Arrecifes y Ecosistemas Conexos

Pitons, Cirques and Remparts of Reunion Island | Pitones, Circos y Escarpaduras de la Isla de la Reunión

Pyrénées – Mont Perdu | Pirineos – Monte Perdido • •

GABON | GABÓN

Ecosystem and Relict Cultural Landscape of Lopé-Okanda | Ecosistema y Paisaje Cultural Arcaico de Lopé-Okanda •

GERMANY | ALEMANIA

Messel Pit Fossil Site | Sitio Fosilífero de Messel

Primeval Beech Forests of the Carpathians and the Ancient Beech Forests of Germany | Bosques Antiguos de Hayas de Alemania (ampliación del sitio de los Bosques Primarios de Hayas de los Cárpatos Eslovaquia y Ucrania) •

Wadden Sea | El Mar de las Wadden •

GREECE | GRECIA

Meteora | Meteoros •

Mount Athos | Monte Atos •

GUATEMALA
Tikal National Park | Parque Nacional de Tikal ●

GUINEA
Mount Nimba Strict Nature Reserve | Reserva Natural Integral del Monte Nimba ●●

HONDURAS
Río Plátano Biosphere Reserve | Reserva de la Biosfera de Río Plátano ●

HUNGARY | HUNGRÍA
Caves of Aggtelek Karst and Slovak Karst | Grutas del Karst de Aggtelek y del Karst de Eslovaquia ●

ICELAND | ISLANDIA
Surtsey

INDIA
Great Himalayan National Park Conservation Area | Área de Conservación del Parque Nacional del Gran Himalaya
Kaziranga National Park | Parque Nacional de Kaziranga
Keoladeo National Park | Parque Nacional de Keoloadeo
Manas Wildlife Sanctuary | Santuario de Fauna de Manas
Nanda Devi and Valley of Flowers National Parks | Parques Nacionales de Nanda Devi y el Valle de las Flores
Sundarbans National Park | Parque Nacional de los Sundarbans
Western Ghats | Ghats Occidentales

INDONESIA
Komodo National Park | Parque Nacional de Komodo
Lorentz National Park | Parque Nacional de Lorentz
Tropical Rainforest Heritage of Sumatra | Patrimonio de los Bosques Lluviosos Tropicales de Sumatra ●
Ujung Kulon National Park | Parque Nacional de Ujung Kulon

ITALY | ITALIA
Isole Eolie (Aeolian Islands) | Isole Eolie (Islas Eólicas)
Monte San Giorgio | Monte San Giorgio ●
Mount Etna | Monte Etna
The Dolomites | Los Dolomitas

JAPAN | JAPÓN
Ogasawara Islands | Islas de Ogasawara
Shirakami-Sanchi
Shiretoko
Yakushima

JORDAN | JORDANIA
Wadi Rum Protected Area | Zona Protegida del Uadi Rum ●

KAZAKHSTAN | KAZAJSTÁN
Saryarka – Steppe and Lakes of Northern Kazakhstan | Saryarka – Estepa y Lagos del Kazajstán Septentrional

KENYA
Kenya Lake System in the Great Rift Valley | Sistema de Lagos de Kenya en el Gran Valle del Rift
Lake Turkana National Parks | Parques Nacionales del Lago Turkana
Mount Kenya National Park / Natural Forest | Parque Nacional / Selva Natural del Monte Kenya

KIRIBATI
Phoenix Islands Protected Area | Zona protegida de las Islas Fénix

LESOTHO
Maloti-Drakensberg Park | Parque Maloti-Drakensberg ●●

MACEDONIA, FYR | MACEDONIA, (EX R.Y. DE)
Natural and Cultural Heritage of the Ohrid region | Patrimonio Natural y Cultural de la Región de Ohrid ●

MADAGASCAR
Rainforests of the Atsinanana | Bosques Lluviosos de Atsinanana ●
Tsingy de Bemaraha Strict Nature Reserve | Reserva Natural Integral de Tsingy de Bemaraha

MALAWI
Lake Malawi National Park | Parque Nacional del Lago Malawi

MALAYSIA | MALASIA
Gunung Mulu National Park | Parque Nacional de Gunung Mulu
Kinabalu Park | Parque de Kinabalu

MALI | MALÍ

Cliff of Bandiagara (Land of the Dogons) | Farallones de Bandiagara (País de los Dogones) •

MAURITANIA

Banc d'Arguin National Park | Parque Nacional del Banco de Arguin

MEXICO | MÉXICO

Ancient Maya City and Protected Tropical Forests of Calakmul, Campeche | Antigua Ciudad Maya y Bosques Tropicales Protegidos de Calakmul, Campeche •

El Pinacate and Gran Desierto de Altar Biosphere Reserve | Reserva de la Biosfera El Pinacate y Gran Desierto de Altar

Islands and Protected Areas of the Gulf of California | Islas y Áreas Protegidas del Golfo de California

Monarch Butterfly Biosphere Reserve | Reserva de la Biosfera de la Mariposa Monarca

Sian Ka'an

Whale Sanctuary of El Vizcaino | Santuario de Ballenas de El Vizcaíno

MONGOLIA

Uvs Nuur Basin | Cuenca de Ubs Nuur •

MONTENEGRO

Durmitor National Park | Parque Nacional de Durmitor

NAMIBIA

Namib Sand Sea | Arenal de Namib

NEPAL

Chitwan National Park | Parque Nacional de Chitwan

Sagarmatha National Park | Parque Nacional de Sagarmatha

NETHERLANDS | PAÍSES BAJOS

Wadden Sea | El Mar de las Wadden •

NEW ZEALAND | NUEVA ZELANDIA

Te Wahipounamu – South West New Zealand | Te Wahipounamu – Zona Sudoccidental de Nueva Zelandia

Tongariro National Park | Parque Nacional de Tongariro •

New Zealand Sub-Antarctic Islands | Islas Subantárticas de Nueva Zelandia

NIGER | NÍGER

Air and Ténéré Natural Reserves | Reservas Naturales del Air y el Teneré •

W National Park of Niger | Parque Nacional de la W del Níger

NORWAY | NORUEGA

West Norwegian Fjords – Geirangerfjord and Nærøyfjord | Fiordos del Oeste de Noruega – Geirangerfjord y Nærøyfjord

PALAU

Rock Islands Southern Lagoon | Laguna Meridional de las Islas Rocosas •

PANAMA | PANAMÁ

Coiba National Park and its Special Zone of Marine Protection | Parque Nacional de Coiba y su Zona Especial de Protección Marina

Darien National Park | Parque Nacional del Darién

Talamanca Range-La Amistad Reserves / La Amistad National Park | Reservas de la Cordillera de Talamanca-La Amistad / Parque Nacional de la Amistad •

PERU | PERÚ

Historic Sanctuary of Machu Picchu | Santuario Histórico de Machu Picchu •

Huascarán National Park | Parque Nacional de Huascarán

Manú National Park | Parque Nacional de Manú

Río Abiseo National Park | Parque Nacional del Río Abiseo •

PHILIPPINES | FILIPINAS

Mount Hamiguitan Range Wildlife Sanctuary | Santuario de Fauna y Flora Salvaje de la Cadena del Monte Hamiguitan

Puerto-Princesa Subterranean River National Park | Parque Nacional del Río Subterráneo de Puerto Princesa

Tubbataha Reefs Natural Park | Parque Natural de los Arrecifes de Tubbataha

POLAND | POLONIA

Białowieża Forest | Bosque de Białowieża •

PORTUGAL
Laurisilva of Madeira | Bosque de Laurisilva de Madera

REPUBLIC OF KOREA | REPÚBLICA DE COREA
Jeju Volcanic Island and Lava Tubes | Paisaje Volcánico y Túneles de Lava de la Isla de Jeju

ROMANIA | RUMANIA
Danube Delta | Delta del Danubio

RUSSIAN FEDERATION | FEDERACIÓN DE RUSIA
Central Sikhote-Alin | Sikhote-Alin Central
Golden Mountains of Altai | Montañas Doradas del Altai
Lake Baikal | Lago Baikal
Lena Pillars Nature Park | Parque Natural de los Pilares del Lena
Natural System of Wrangel Island Reserve | Sistema Natural de la Reserva de la Isla de Wrangel
Putorana Plateau | Meseta de Putorana
Uvs Nuur Basin | Cuenca de Ubs Nuur •
Virgin Komi Forests | Bosques Vírgenes de Komi
Volcanoes of Kamchatka | Volcanes de Kamchatka
Western Caucasus | Cáucaso Occidental

SAINT LUCIA | SANTA LUCÍA
Pitons Management Area | Zona de Gestión de los Pitones

SENEGAL
Djoudj National Bird Sanctuary | Santuario Nacional de Aves de Djudj
Niokolo-Koba National Park | Parque Nacional de Niokolo-Koba •

SEYCHELLES
Aldabra Atoll | Atolón de Aldabra
Vallée de Mai Nature Reserve | Reserva Natural del Valle de Mai

SLOVAKIA | ESLOVAQUIA
Caves of Aggtelek Karst and Slovak Karst | Grutas del Karst de Aggtelek y del Karst de Eslovaquia •
Primeval Beech Forests of the Carpathians and the Ancient Beech Forests of Germany | Bosques Antiguos de Hayas de Alemania (ampliación del sitio de los Bosques Primarios de Hayas de los Cárpatos Eslovaquia y Ucrania) •

SLOVENIA | ESLOVENIA
Škocjan Caves | Grutas de Škocjan

SOLOMON ISLANDS | ISLAS SALOMÓN
East Rennell | Rennell Este •

SOUTH AFRICA | SUDÁFRICA
Cape Floral Region Protected Areas | Zonas Protegidas de la Región Floral de El Cabo
Maloti-Drakensberg Park | Parque Maloti-Drakensberg • •
iSimangaliso Wetland Park | Parque del Humedal de iSimangaliso
Vredefort Dome | Bóveda de Vredefort

SPAIN | ESPAÑA
Doñana National Park | Parque Nacional de Doñana
Garajonay National Park | Parque Nacional de Garajonay
Ibiza, Biodiversity and Culture | Ibiza, Biodiversidad y Cultura •
Pyrénées – Mont Perdu | Pirineos – Monte Perdido • •
Teide National Park | Parque Nacional del Teide

SRI LANKA
Central Highlands of Sri Lanka | Mesetas Centrales de Sri Lanka
Sinharaja Forest Reserve | Reserva Forestal de Sinharaja

SURINAME
Central Suriname Nature Reserve | Reserva Natural de Suriname Central

SWEDEN | SUECIA
High Coast / Kvarken Archipelago | Costa Alta / Archipiélago Kvarken •
Laponian Area | Región de Laponia •

SWITZERLAND | SUIZA
Monte San Giorgio | Monte San Giorgio •
Swiss Tectonic Arena Sardona | Sitio Tectónico Suizo del Sardona
Swiss Alps Jungfrau-Aletsch | Alpes Suizos Jungfrau-Aletsch

TAJIKISTAN | TAYIKISTÁN
Tajik National Park (Mountains of the Pamirs) | Parque Nacional Tayiko (Cordillera del Pamir)

THAILAND | TAILANDIA

Dong Phayayen-Khao Yai Forest Complex | Complejo Forestal de Dong Phayayen-Khao Yai

Thungyai-Huai Kha Khaeng Wildlife Sanctuaries | Santuarios de Fauna de Thung Yai-Huai Kha Khaeng

TUNISIA | TÚNEZ

Ichkeul National Park | Parque Nacional de Ichkeu

TURKEY | TURQUÍA

Göreme National Park and the Rock Sites of Cappadocia | Parque Nacional de Göreme y Sitios Rupestres de Capadocia ●

Hierapolis-Pamukkale | Hierápolis-Pamukkale ●

UGANDA

Bwindi Impenetrable National Park | Bosque Impenetrable de Bwindi

Rwenzori Mountains National Park | Parque Nacional de los Montes Rwenzori

UKRAINE | UCRANIA

Primeval Beech Forests of the Carpathians and the Ancient Beech Forests of Germany | Bosques Antiguos de Hayas de Alemania ampliación del sitio de los Bosques Primarios de Hayas de los Cárpatos (Eslovaquia y Ucrania) ●

UNITED KINGDOM OF GREAT BRITAIN AND NORTHERN IRELAND | REINO UNIDO DE GRAN BRETAÑA E IRLANDA DEL NORTE

Dorset and East Devon Coast | Litoral de Dorset y del Este de Devon

Giant's Causeway and Causeway Coast | Calzada y Costa del Gigante

Gough and Inaccessible Islands | Islas Gough e Inaccesible

Henderson Island | Isla de Henderson

St. Kilda | San Kilda ●

UNITED REPUBLIC OF TANZANIA | REPÚBLICA UNIDA DE TANZANÍA

Kilimanjaro National Park | Parque Nacional del Kilimanjaro

Ngorongoro Conservation Area | Zona de Conservación de Ngorongoro ●

Selous Game Reserve | Reserva de Caza de Selous ●

Serengeti National Park | Parque Nacional de Serengeti

UNITED STATES OF AMERICA | ESTADOS UNIDOS DE AMÉRICA

Carlsbad Caverns National Park | Parque Nacional de las Cuevas de Carlsbad

Everglades National Park | Parque Nacional de Everglades ●

Grand Canyon National Park | Parque Nacional del Gran Cañón

Great Smoky Mountains National Park | Parque Nacional de Great Smoky Mountains

Hawaii Volcanoes National Park| Parque Nacional de los Volcanes de Hawái

Kluane / Wrangell-St. Elias / Glacier Bay / Tatshenshini-Alsek | Kluane / Wrangell-St. Elias / Bahía de los Glaciares / Tatshenshini-Alsek ●

Mammoth Cave National Park | Parque Nacional de Mammoth Cave

Olympic National Park | Parque Nacional Olímpico

Papahānaumokuākea ●

Redwood National and State Parks | Parque Nacional y Parques Estatales de Redwood

Waterton Glacier International Peace Park | Parque Internacional de la Paz Waterton-Glacier ●

Yellowstone National Park | Parque Nacional de Yellowstone

Yosemite National Park | Parque Nacional de Yosemite

VENEZUELA (BOLIVARIAN REPUBLIC OF) | VENEZUELA (REPÚBLICA BOLIVARIANA DE)

Canaima National Park | Parque Nacional de Canaima

VIET NAM

Ha Long Bay | Bahía de Ha Long

Phong Nha-Ke Bang National Park | Parque Nacional de Phong Nha-Ke Bang

Trang An Landscape Complex | Complejo Paisajístico de Trang An ●

YEMEN

Socotra Archipelago | Archipiélago de Socotra

ZAMBIA

Mosi-oa-Tunya / Victoria Falls | Mosi-oa-Tunya / Cataratas Victoria ●

ZIMBABWE

Mana Pools National Park, Sapi and Chewore Safari Areas | Parque Nacional de Mana Pools y Zonas de Safari de Sapi y Chewore

Mosi-oa-Tunya / Victoria Falls | Mosi-oa-Tunya / Cataratas Victoria ●

About the authors | Acerca de los autores

TIM BADMAN is Director of the World Heritage Programme at IUCN, and has served on IUCN's World Heritage Panel since 2003. Prior to joining the IUCN Secretariat in 2007, he was the team leader of the Dorset and East Devon Coast World Heritage Site (UK).

BASTIAN BERTZKY currently acts as Science Adviser to IUCN's World Heritage Programme. He has worked on World Heritage programs since 2005, first at IUCN headquarters and then at the UNEP-WCMC. He holds a geography degree and an MSc in Conservation Biology from the University of Cape Town.

CYRIL F. KORMOS is Vice President for Policy at The WILD Foundation, IUCN-WCPA Vice Chair for World Heritage, and Chair of the IUCN-WCPA World Heritage Specialist Group. He holds a BA in English from the University of California, Berkeley, an MSc in Politics of the World Economy from the London School of Economics, and a JD from George Washington University.

RUSSELL A. MITTERMEIER, PhD, is Executive Vice Chair of Conservation International and the organization's former president (1989–2014). A long-time member of the IUCN-SSC's Steering Committee, he serves as Chair of SSC's Primate Specialist Group. Trained as a primatologist and herpetologist, Mittermeier has conducted extensive fieldwork in more than thirty countries.

TIM BADMAN es Director del Programa del Patrimonio Mundial de la UICN y ha prestado sus servicios en el Panel para el Patrimonio Mundial desde 2003. Antes de integrarse al Secretariado de la UICN en 2007, fungió como líder de grupo en el sitio Litoral de Dorset y en la costa oriental de Devon, Gran Bretaña.

BASTIAN BERTZKY actualmente funge como Consultor Científico para el Programa del Patrimonio Mundial de la UICN. Ha trabajado en los Programas del Patrimonio Mundial desde 2005, primero en las oficinas centrales de la UICN y luego en el UNEP-WCMC. Es Licenciado en Geografía y tiene una Maestría en Ciencias de Biología de la Conservación de la Universidad de Ciudad del Cabo.

CYRIL F. KORMOS es Vicepresidente de Políticas de la Fundación WILD, Vicepresidente del Patrimonio Mundial de la UICN-WCPA y Director del Grupo de Especialistas del Patrimonio Mundial de la UICN-WCPA. Es Licenciado en Inglés por la Universidad de California en Berkeley, tiene una Maestría en Ciencias Políticas de Economía Mundial de la London School of Economics, y un Doctorado en Derecho de la Universidad George Washington.

EL DR. RUSSELL A. MITTERMEIER es Vicepresidente Ejecutivo de Conservation International, y fue Presidente de esta organización de 1989 a 2014. Es miembro decano del Comité Fundador de la UICN-SSC y actualmente funge como Presidente del Grupo de Especialistas en Primates de la SSC. Con formación como primatólogo y herpetólogo, Mittermeier ha llevado a cabo una gran cantidad de trabajos de campo en más de treinta países.

Contributing authors | Autores participantes

TIM BADMAN
Director, IUCN World Heritage Programme
Director del Programa del Patrimonio Mundial de la UICN

BASTIAN BERTZKY
Science Adviser, IUCN World Heritage Programme
Consejero Científico del Programa del Patrimonio Mundial de la UICN

GUY DEBONNET
Senior Specialist, World Heritage IUCN-WCPA
Especialista principal del Patrimonio Mundial de la UICN-CMAP

ERNESTO ENKERLIN
Professor of Sustainability, Tecnologico de Monterrey
Chair, IUCN-WCPA
Profesor de Sustentabilidad del Tecnológico de Monterrey
Presidente de la UICN-CMAP

CYRIL F. KORMOS
Vice Chair, World Heritage IUCN-WCPA
Vice President for Policy, The WILD Foundation
Vicepresidente del Patrimonio Mundial de la UICN-CMAP
Vicepresidente de Políticas de la Fundación WILD

LETÍCIA LEITÃO
World Heritage Specialist, IUCN-WCPA
Especialista para el Patrimonio Mundial de la UICN-CMAP

NORA MITCHELL
Adjunct Associate Professor, University of Vermont
Profesora Asociada Adjunta de la Universidad de Vermont

RUSSELL A. MITTERMEIER
Executive Vice Chair, Conservation International
Chair, IUCN-SSC Primate Specialist Group
Vicepresidente Ejecutivo de Conservation International
Presidente del Grupo de Especialistas en Primates de la UICN-SSC

ELENA OSIPOVA
World Heritage Monitoring Officer, IUCN World Heritage Programme
Ofical de Supervisión del Patrimonio Mundial para el Programa del Patrimonio Mundial de la UICN

PETER SHADIE
Senior Advisor, IUCN World Heritage Programme
Consejera principal del Programa del Patrimonio Mundial de la UICN

JIM THORSELL
Senior Advisor, IUCN World Heritage Programme
Consejero principal del Programa del Patrimonio Mundial de la UICN

REMCO VAN MERM
World Heritage Conservation Officer, IUCN World Heritage Programme
Oficial de Conservación del Patrimonio Mundial para el Programa del Patrimonio Mundial de la UICN

Selected bibliography | Bibliografia escogida

Abdulla, Ameer, and David Obura, Bastian Bertzky, and Yichuan Shi. *Marine Natural Heritage and the World Heritage List: Interpretation of World Heritage criteria in marine systems, analysis of biogeographic representation of sites, and a roadmap for addressing gaps*. Gland, Switzerland: IUCN, 2013.

Badman, Tim. "World Heritage and Geomorphology." In *Geomorphological Landscapes of the World*, edited by Piotr Migon. Dordrecht, Netherlands: Springer, 2010.

Badman, Tim, and Bastian Bomhard, Annelie Fincke, Josephine Langley, Pedro Rosabal, and David Sheppard. *Outstanding Universal Value: A compendium on standards for inscriptions of natural properties on the World Heritage List.* Gland, Switzerland: IUCN, 2008.

Belle, Elise, and Yichuan Shi and Bastian Bertzky. *Comparative Analysis Methodology for World Heritage Nominations under Biodiversity Criteria: A contribution to the IUCN evaluation of natural World Heritage nominations.* Cambridge, UK: UNEP-WCMC, and Gland, Switzerland: IUCN, 2014.

Bertzky, Bastian, and Barbara Engels, Peter Howard, Christi Nozawa, David Obura, Mary Seely, Wendy Strahm, and James Thorsell. "World Heritage and species: Safe havens for wildlife?" *World Heritage* 73 (2014): 28–37.

Bertzky, Bastian, and Yichuan Shi, Adrian Hughes, Barbara Engels, Mariam K. Ali, and Tim Badman. *Terrestrial Biodiversity and the World Heritage List: Identifying broad gaps and potential candidate sites for inclusion in the natural World Heritage network.* Cambridge, UK: UNEP-WCMC, and Gland, Switzerland: IUCN, 2013.

CBD. *Convention on Biological Diversity.* Montreal, Canada: Secretariat of the Convention on Biological Diversity, 1992.

Context. *Defining the Aesthetic Value of the Great Barrier Reef.* Report prepared for the Commonwealth Department of Sustainability, Environment, Water, Population & Communities. Australia: Department of the Environment, 2013.

Dingwall, Paul, and Tony Weighell and Tim Badman. *Geological World Heritage: A global framework*. Gland, Switzerland: IUCN, 2005.

Foster, Matthew N., and Russell A. Mittermeier, Tim Badman, Charles Besançon, Bastian Bomhard, Thomas M. Brooks, Naamal De Silva, Lincoln Fishpool, Michael Parr, Elizabeth Radford, and Will Turner. "Synergies between World Heritage Sites and Key Biodiversity Areas." *World Heritage* 56 (2010): 4–17.

Goudie, Andrew, and Mary Seely. *World Heritage Desert Landscapes: Potential priorities for the recognition of desert landscapes and geomorphological sites on the World Heritage List.* Gland, Switzerland: IUCN, 2011.

IUCN. *The World Heritage List: Future Priorities for a Credible and Complete List of Natural and Mixed Sites.* Strategy Paper prepared for the World Heritage Committee. Gland, Switzerland: IUCN, 2004.

IUCN. *The IUCN Red List of Threatened Species.* Gland, Switzerland: IUCN, 2015. (http://www.iucnredlist.org)

IUCN and Provita. *IUCN Red List of Ecosystems*. Caracas: IUCN Commission on Ecosystem Management (CEM) and Provita, 2015. (http://www.iucnredlistofecosystems.org)

IUCN and UNEP-WCMC. *The World Database on Protected Areas (WDPA).* Cambridge, UK: UNEP-WCMC, 2015. (http://www.protectedplanet.net)

Larwood, Jonathan G., and Tim Badman and Patrick J. McKeever. "The progress and future of geoconservation at a global level." *Proceedings of the Geologists' Association* 124 (2013): 720–30.

Le Saout, Soizic, and Michael Hoffmann, Yichuan Shi, Adrian Hughes, Cyril Bernard, Thomas M. Brooks, Bastian Bertzky, Stuart H. M. Butchart, Simon N. Stuart, Tim Badman, and Ana S. L. Rodrigues. "Protected areas and effective biodiversity conservation." *Science* 342 (2013): 803–5.

Mitchell, Nora, with L. Letícia Leitão, Piotr Migon, and Susan Denyer. *Study on the Application of Criterion (vii): Considering superlative natural phenomena and exceptional natural beauty within the World Heritage Convention.* Gland, Switzerland: IUCN, 2013.

Mittermeier, Russell A., and Patricio R. Gil and Cristina G. Mittermeier. *Megadiversity: Earth's biologically wealthiest nations.* Mexico City: CEMEX, 1997.

Mittermeier, Russell A., and Patricio R. Gil, Michael Hoffmann, John Pilgrim, Thomas Brooks, Cristina G. Mittermeier, John Lamoreux, and Gustavo A. B. da Fonseca. *Hotspots Revisited: Earth's biologically richest and most endangered terrestrial ecoregions.* Mexico City: CEMEX, 2004.

Mittermeier, Russell A., and Cristina G. Mittermeier, Patricio R. Gil, John Pilgrim, Gustavo A. B. da Fonseca, William R. Konstant, and Thomas Brooks. *Wilderness: Earth's last wild places.* Mexico City: CEMEX, 2002.

Mittermeier, Russell A., and Norman Myers, Cristina G. Mittermeier, and Patricio R. Gil. *Hotspots: Earth's biologically richest and most endangered terrestrial ecoregions.* Mexico City: CEMEX, 1999.

Obura, David O., and Julie E. Church and Catherine Gabrié. *Assessing Marine World Heritage from an Ecosystem Perspective: The Western Indian Ocean.* Paris: UNESCO World Heritage Centre, 2012.

Olson, David M., and Eric Dinerstein. "The Global 200: Priority ecoregions for global conservation." *Annals of the Missouri Botanical Garden* 89 (2002): 199–224.

Olson, David M., and Eric Dinerstein, Eric D. Wikramanayake, Neil D. Burgess, George V. N. Powell, Emma C. Underwood, Jennifer A. D'Amico, Illanga Itoua, Holly E. Strand, John C. Morrison, Colby J. Loucks, Thomas F. Allnutt, Taylor H. Ricketts, Yumiko Kura, John F. Lamoreux, Wesley W. Wettengel, Prashant Hedao, and Kenneth R. Kassem. "Terrestrial ecoregions of the world: A new map of life on Earth." *BioScience* 51 (2001): 933–38.

Osipova, E., and Yichuan Shi, Cyril Kormos, Peter Shadie, Célia Zwahlen, and Tim Badman. *IUCN World Heritage Outlook 2014: A conservation assessment of all natural World Heritage Sites.* Gland, Switzerland: IUCN, 2014.

Potapov, Peter, and Aleksey Yaroshenko, Svetlana Turubanova, M. Dubinin, Lars Laestadius, Christophe Thies, Dmitry Aksenov, Aleksey Egorov, Yelena Yesipova, Igor Glushkov, Mikhail Karpachevsky, Anna Kostikova, Alexander Manisha, Ekaterina Tsybikova, and Ilona Zhuravleva. "Mapping the world's intact forest landscapes by remote sensing." *Ecology and Society* 13, no. 2 (2008): 51. (http://www.ecologyandsociety.org/vol13/iss2/art51)

Selig, Elizabeth R., and Will. R. Turner, Sebastian Troëng, Brian P. Wallace, Benjamin S. Halpern, Kristin Kaschner, Ben G. Lascelles, Kent E. Carpenter, and Russell A. Mittermeier. "Global priorities for marine biodiversity conservation." *PLOS ONE* 9, no. 1 (2014): e82898. DOI: 10.1371/journal.pone.0082898.

Spalding, Mark D., and Helen E. Fox, Gerald R. Allen, Nick Davidson, Zach A. Ferdaña, Max Finlayson, Benjamin S. Halpern, Miguel A. Jorge, Al Lombana, Sara A. Lourie, Kirsten D. Martin, Edmund McManus, Jennifer Molnar, Cheri A. Recchia, and James Robertson. "Marine ecoregions of the world: A bioregionalization of coast and shelf areas." *BioScience* 57 (2007): 573–83.

Turner, Stephen D. *World Heritage Sites and Extractive Industries.* Study commissioned by IUCN, ICMM, and Shell, 2012.

UNESCO. *Convention Concerning the Protection of the World Cultural and Natural Heritage.* Paris: UNESCO, 1972.

UNESCO. *Enhancing our Heritage Toolkit: Assessing management effectiveness of natural World Heritage Sites.* Paris: UNESCO, United Nations Foundation, and IUCN, 2008.

UNESCO. *Operational Guidelines for the Implementation of the World Heritage Convention: July 2013.* Paris: UNESCO and World Heritage Centre, 2013.

UNESCO. *Global Geoparks, 2015.* (http://www.unesco.org/new/en/natural-sciences/environment/earth-sciences/global-geoparks)

UNESCO/ICCROM/ICOMOS/IUCN. *Managing Natural World Heritage.* World Heritage Resource Manual. Paris: UNESCO and World Heritage Centre, 2012.

Wells, Roderick T. *Earth's Geological History: A contextual framework for assessment of World Heritage fossil site nominations.* Gland, Switzerland: IUCN, 1996.

Williams, Paul. *World Heritage Caves and Karst: A global review of karst World Heritage properties.* Gland, Switzerland: IUCN, 2008.

Wood, Chris. *World Heritage Volcanoes: A global review of volcanic World Heritage properties.* Gland, Switzerland: IUCN, 2009.

Earth's Legacy: Natural World Heritage
Legado de la Tierra: Patrimonio Mundial Natural
By Cyril F. Kormos, Tim Badman, Russell A. Mittermeier, and Bastian Bertzky

Published by Earth in Focus Editions
200 First Ave W #101,
Qualicum Beach, British Columbia
Canada V9K 2J3

www.earthinfocus.org

ISBN: 978-0-9947872-0-0

Series editor: Cristina Mittermeier
Book design and photo research: Jeremy Eberts
Text editor: Gail Spilsbury
Spanish translator and copy editor: Francisco Malagamba
Digital photography editor: Yanik Jutras

PRINTED IN CHINA THROUGH GLOBALINKPRINTING.COM

COVER
Yosemite National Park | United States of America
FRANS LANTING/LANTING.COM

FRONTISPIECE
Tasmanian Wilderness | Australia
PETER DOMBROVSKIS

ENDPAPERS
Selous Game Reserve | United Republic of Tanzania
MICHAEL POLIZA

Capra caucasica
West Caucasian turs | Tures del Cáucaso Occidental
Western Caucasus | Cáucaso Occidental
Russian Federation | Federación de Rusia
IGOR SHPILENOK

Earth's Legacy: Natural World Heritage
Legado de la Tierra: Patrimonio Mundial Natural
Por Cyril F. Kormos, Tim Badman, Russell A. Mittermeier y Bastian Bertzky

Publicado por Earth in Focus Editions
200 First Ave W #101,
Qualicum Beach, British Columbia
Canada V9K 2J3

www.earthinfocus.org

ISBN: 978-0-9947872-0-0

Editor de s3erie: Cristina Mittermeier
Diseño del libro y selección de fotos: Jeremy Eberts
Editora de texto: Gail Spilsbury
Traductor y editor de texto de la versión en español: Francisco Malagamba
Editor de imágenes digitales: Yanik Jutras

IMPRESO EN CHINA A TRAVÉS DE GLOBALINKPRINTING.COM

PORTADA
Parque Nacional de Yosemite | Estados Unidos de América
FRANS LANTING/LANTING.COM

FRONTISPICIO
Zona de Naturaleza Salvaje de Tasmania | Australia
PETER DOMBROVSKIS

GUARDAS
Reserva de Caza de Selous | República Unida de Tanzanía
MICHAEL POLIZA

Printed on FSC® certified paper
Impreso en papel certificado FSC®